Mémoires d'un nain (PAS SI) grincheux

Mémoires d'un nain (PAS SI) grincheux

Les Éditions Goélette

Graphisme : Marjolaine Pageau
Révision, correction : Corinne De Vailly et Geneviève Roux
Illustration de la couverture : Julie Jodoin Rodriguez
Illustrations : Shutterstock

Dépôt légal : 3e trimestre 2012
Bibliothèque et Archives nationales du Québec
Bibliothèque nationale du Canada

Les Éditions Goélette bénéficient du soutien financier de la SODEC
pour son programme d'aide à l'édition et à la promotion.

Nous remercions le gouvernement du Québec de l'aide financière
accordée par l'entremise du Programme de crédit d'impôt
pour l'édition de livres, administré par la SODEC.

Nous reconnaissons l'aide financière du gouvernement du Canada par
l'entremise du Fonds du livre du Canada pour nos activités d'édition.

Membre de l'Association nationale des éditeurs de livres.

Imprimé au Canada
ISBN : 978-2-89690-180-7

Voici le journal INTIME
et très PRIVÉ de Grincheux.

NE PAS OUVRIR !

(À moins d'avis contraire)

AVRIL

5 avril

Les choses ont vraiment changé ici depuis que la mère Michel a décidé de nous donner un coup de main et de nettoyer la maison deux fois par semaine. Elle nous prépare des lunchs délicieux, et lorsque nous rentrons du chantier vers 18 h, la table est mise et un repas chaud nous attend! Même Blanche-Neige ne se donnait pas tant de mal pour nous faire plaisir!

Hier soir, lorsque je suis revenu du travail, j'ai remarqué que la mère Michel avait déposé un petit paquet sur mon lit. C'était une tarte au sucre! Je ne sais pas comment elle a fait pour deviner que c'est mon dessert préféré, mais j'ai apprécié cette petite attention. Elle m'avait aussi laissé une note qui disait:

Ce n'est pas la première fois qu'elle fait allusion à mon humeur. J'aime bien la mère Michel, mais j'aimerais qu'elle me laisse tranquille avec cette histoire de sourire. Depuis qu'elle travaille ici, elle me harcèle pour savoir ce qui me pousse à être aussi renfrogné et pourquoi je suis si souvent seul.

La vérité, c'est que je n'agis pas comme ça par mauvaise foi ou parce que je suis méchant envers les autres ; c'est simplement plus fort que moi. Comme j'ai de la difficulté à aller vers les autres et à exprimer mes émotions, je préfère m'isoler pour ne pas gâcher leur plaisir. Malheureusement pour moi, ma réputation me précède, et je crois que les habitants de Livredecontes me perçoivent toujours comme le bourru du village. Tant qu'à

être étiqueté, aussi bien leur en donner pour leur argent !

Au sein du groupe des Sept Nains, on m'a aussi attribué ce rôle et on s'attend maintenant à ce que je fasse toujours la tête. C'est presque devenu un devoir de me retirer dans mon coin et de bougonner, alors je ne vois pas pourquoi la mère Michel s'acharne à vouloir me faire sourire. Je crois que c'est Reine et Rose qui lui ont mis cette idée dans la tête. En effet, depuis que Reine s'est fiancée avec Henri et que sa thérapeute lui a bourré le crâne avec des idées d'épanouissement personnel, la belle-mère de Blanche-Neige n'est plus la même[1]. Rose pense sans doute que si elle a réussi à transformer Reine, elle réussira aussi à changer mon humeur. Ce qu'elle ne sait pas, c'est que je me considère comme une cause perdue. Je n'ai jamais été capable de sourire, et je ne vois pas comment la situation pourrait s'arranger.

En vérité, j'ai l'impression que personne ne me comprend. J'aimerais simplement qu'elles me laissent tranquille et me laissent râler comme bon me semble !

_____

1. Cf. L'envers des contes de fées, *Journal intime de la belle-mère (pas si) cruelle de Blanche-Neige*.

7 avril

Joyeux m'énerve royalement. On dirait qu'il y a constamment une fanfare et des chars allégoriques dans sa tête et que rien ne peut lui enlever le sourire. Ce matin, je sortais à peine du lit quand il est venu me voir pour m'offrir de prendre le petit-déjeuner à l'extérieur.

« Non, lui ai-je répondu. Je n'ai pas le temps, et je n'aime pas que les moustiques se baignent dans mes céréales. »

« Mais il fait si beau ! Allons, viens ! Ça te fera du bien de prendre un peu d'air frais ! C'est bon pour le moral », a-t-il insisté.

« Non, mais ! Qu'est-ce qu'il a, mon moral ? J'en ai assez que vous me cassiez les oreilles avec ça ! Je suis très bien comme je suis, alors si ça ne fait pas votre affaire, vous n'avez qu'à me laisser tranquille ! »

Joyeux a baissé les yeux, déçu, puis il est allé rejoindre Atchoum qui s'était déjà installé dehors et qui éternuait toutes les cinq minutes à cause du pollen. Le printemps est une saison infernale pour lui.

Le reste de la journée s'est bien déroulé, puisque j'adore mon travail et que j'aime bien Henri. Il est excellent comme contremaître et il ne s'acharne pas sur mon cas comme tous les autres. Soupir. Si seulement il pouvait leur expliquer que ça ne sert à rien d'essayer de me changer.

9 avril

En rentrant du travail, une surprise de taille m'attendait à la maison : Reine, Rose et la mère Michel étaient assises dans la cuisine, entourées d'Atchoum, de Prof, de Simplet, de Joyeux et de Timide. Seul Dormeur manquait à l'appel, mais je l'entendais ronfler dans sa chambre.

« Que se passe-t-il ? ai-je demandé, l'air hébété. Que faites-vous tous ici ? Ai-je oublié l'anniversaire de quelqu'un ? Avez-vous organisé une soirée sans m'avertir ? En tout cas, j'espère qu'on ne mangera pas encore des tartes. Elles commencent à me sortir par les oreilles. »

« Non, Grincheux. Nous ne sommes pas ici pour manger, ni pour faire la fête, a commencé la mère Michel. Nous sommes ici pour toi. Je sais que tu crois que tu n'as pas de problème, mais ça

m'attriste de te voir si seul et renfrogné à longueur de journée. J'ai passé beaucoup de temps avec toi au cours des dernières semaines et j'ai appris à te connaître davantage. Tu es sensible et tu peux même être tendre à tes heures. Si tu apprenais à t'ouvrir et à partager tes émotions… »

« La mère Michel m'a parlé de toi, et j'ai tout de suite pensé à Rose, a enchaîné Reine en s'avançant vers moi. Tu sais mieux que quiconque à quel point j'ai évolué grâce au yoga et à mes séances avec elle, et je suis certaine que si tu le voulais, elle pourrait t'aider… »

« Ça suffit! ai-je rétorqué. J'en ai assez de vos discours! Je sais que c'est pour mon bien, mais il n'y a rien à faire pour changer ma personnalité. Je suis comme je suis, point final! Je ne serai jamais heureux comme Joyeux, ni allergique comme

Atchoum, ni zen comme Reine. Si vous ne voulez plus de moi, alors j'irai vivre ailleurs ! »

« Il est hors de question que tu partes, m'a répondu Prof, en posant une main sur mon épaule. Tu sais bien que nous t'aimons tel que tu es, mais nous voulons simplement t'aider à retrouver le sourire. Le départ de Blanche-Neige n'a pas été facile pour toi, et les choses ont empiré depuis qu'elle s'est inscrite au concours de Miss Univers, mais tu peux compter sur nous ! »

« Allons, Grincheux ! Laisse-moi te donner un coup de main, a renchéri Rose. Tu as bien vu les progrès de Reine et de Simplet ! Je pourrais t'aider à voir la vie du bon côté. Je ne veux pas te transformer, mais simplement que tu apprennes à sourire… »

Simplet s'est alors avancé vers moi et a posé une main sur mon bras. Même s'il était incapable de parler, je pouvais lire dans ses pensées. « Je sais que tu en es capable », me disait-il.

J'ai soupiré et j'ai hoché la tête. Tout le monde a applaudi. Je ne sais pas dans quel pétrin je me suis mis, mais j'espère au moins qu'ils me laisseront tranquille !

13 avril

Ce matin, je me suis levé de mauvais poil. C'était le jour de la première séance avec Rose, et je regrettais déjà d'avoir accepté de la consulter. J'en suis conscient, je suis parfois un peu grognon, mais je ne vois pas en quoi ces rendez-vous vont y changer quelque chose. Ce n'est pas vraiment mon genre de m'ouvrir sur mes sentiments, et il n'est pas question que je me mette à sangloter en me confiant soudain à elle !

Je dois toutefois avouer que l'intervention de mes « amis » m'a fait réfléchir. Que je le veuille ou non, j'ai bien vu que certains habitants de Livredecontes ont vraiment changé au cours des dernières années. Par exemple, Balthazar J. Loup est devenu végétarien et hypersensible ; Mildred a cessé de casser les pieds à Cendrillon et elle a démarré sa propre entreprise de détectives privés avec Bo Peep ; Blanche-Neige est devenue Miss Livredecontes et elle file le parfait amour avec Beau Prince, sans compter que Reine a cessé de l'envier et qu'elle s'est même fiancée à un bûcheron !

Peut-être que si eux ont réussi, ça veut dire que je pourrais améliorer certaines choses, moi aussi. Hier soir, je me suis donc enfermé dans la salle de bains pour m'exercer à sourire. Le problème, c'est qu'on dirait que mon visage ne veut rien savoir. J'ai beau étirer les lèvres et essayer de faire une grimace, rien ne fonctionne. J'ai essayé de penser à quelque chose de joyeux qui puisse me faire rire, mais rien ne me venait en tête. Les côtelettes de porc du Petit Chaperon rouge me mettent l'eau à la bouche, mais elles ne me donnent pas envie de sourire. Je me suis même raconté des blagues, mais sans succès.

Et si mes gènes n'étaient pas programmés pour sourire ? J'en parlerai à Rose… peut-être qu'elle comprendra alors que je suis une cause perdue et qu'elle abandonnera la bataille !

14 avril

La session ne s'est pas très bien déroulée. Quand je suis entré dans le bureau de Rose, elle m'a invité à me coucher sur le sofa. J'ai pris ça au mot et je me suis endormi dès que ma tête a touché le coussin. Ma conseillère m'a réveillé trois fractions de seconde plus tard en me secouant vivement.

« Réveille-toi, Grincheux ! Tu n'es pas ici pour dormir ! »

« Désolé. Je croyais que je pouvais faire une sieste avant de me confier. »

« Bon… Commençons. J'aimerais d'abord que tu me nommes certaines choses que tu aimes et qui te rendent heureux. »

« … »

« Allons, Grincheux. Il doit bien avoir des choses que tu aimes faire ! » a-t-elle insisté.

« J'aime bien manger et dormir. Et j'aime aussi notre nouveau travail. Je m'occupe de l'entrepôt de charbon avec Prof et Simplet, tandis que Timide, Joyeux, Atchoum et Dormeur s'occupent de la gestion des billots de bois. Et… hum !… J'aime bien jouer au Monopoly. »

« Hmm ! Intéressant, m'a dit Rose. Cette passion pour le Monopoly, crois-tu qu'elle ne cache pas un amour pour l'immobilier ? Toi et les autres nains avez travaillé d'arrache-pied toute votre vie pour joindre les deux bouts, alors je me demande s'il n'y aurait pas un lien… »

« Euh !… Je ne crois pas, non. Nous sommes des travailleurs. Nous avons toujours été comme ça. »

« Bon, et si on parlait de votre enthousiasme au boulot. Sifflotes-tu comme les autres lorsque tu travailles ? »

« Non. Je fais semblant, car j'ai toujours été incapable de siffler. »

« Très intéressant, a dit Rose, en prenant des notes dans son petit cahier. Peut-être souffres-tu d'un complexe d'infériorité parce que tu es incapable de siffler ! »

Ça, c'en était trop. Je n'arrivais plus à tolérer ses théories ridicules.

« Mais pas du tout ! ai-je répondu vivement. Je m'en fiche de ne pas siffler, et je n'ai aucune envie d'être millionnaire, ni de posséder une société immobilière ! Je suis grincheux parce que je n'arrive tout simplement pas à sourire. C'est tout. »

Rose a déposé son calepin et m'a adressé un regard très intense. Je crois qu'elle attendait que je poursuive sur ma lancée, mais je n'avais rien à ajouter.

« À ton avis, pourquoi n'arrives-tu pas à sourire ? » a-t-elle soufflé après un long moment.

« Je n'en sais rien. J'ai vraiment essayé. Je me suis exercé devant le miroir et j'ai tout fait pour étirer mes lèvres, mais il n'y a rien à faire. »

« As-tu essayé de penser à quelque chose qui te rend heureux ? »

« Ouais !… J'ai pensé à des côtelettes de porc, et aussi aux brochettes de poulet de la mère Michel, mais rien n'y fait. »

« Grincheux, a poursuivi Rose en se penchant vers moi, on ne peut pas toujours sourire en claquant des doigts. Si tu fais un blocage, tu ne peux pas te contenter de dicter à ton cerveau d'étirer les lèvres ! C'est aussi un travail mental ! Ce sont les images, les idées et les souvenirs marquants qui évoqueront chez toi des moments joyeux et qui te mettront le sourire aux lèvres. »

Je l'ai regardée en écarquillant les yeux, puis elle s'est redressée pour me donner un exemple.

« Si tu penses à l'époque où Blanche-Neige habitait avec vous, cela évoque-t-il des moments de bonheur ? »

« Ouais ! » ai-je répondu vaguement.

« Alors, pourquoi ne pas songer à ça lorsque tu essaies de sourire ? »

J'ai fermé les yeux et je me suis concentré très fort. J'ai pensé aux balades avec Blanche-Neige, aux chansons, aux bons petits plats qu'elle nous concoctait. Puis, son visage est apparu dans mon esprit. Il était lumineux, tendre et aimant. J'ai profité de ce moment de tendresse pour étirer ma bouche le plus possible, puis j'ai ouvert les yeux.

J'ai vu que Rose me regardait d'un air ébahi. Elle a détourné le regard et s'est mise à se gratter la tête. Elle semblait très mal à l'aise.

« Pourquoi m'as-tu fait une grimace ? » a-t-elle dit au bout d'un moment.

« Mais j'essayais simplement de sourire ! »

Rose a alors poussé un long soupir. Je crois qu'elle venait finalement de réaliser qu'elle avait du pain sur la planche !

19 avril

Cette semaine, Rose m'a demandé de noter les idées joyeuses qui me passaient par la tête et qui me donnaient envie de sourire, même si j'en étais toujours incapable. Voici la liste que j'ai faite jusqu'à maintenant :

1. Les crêpes au chocolat de Prof
2. Les chansons de Blanche-Neige
3. Ma lotion après-rasage
4. L'odeur de la mine lorsqu'il fait humide
5. Lorsque Atchoum éternue si fort qu'il en tombe à la renverse
6. Lorsque Dormeur s'étouffe en ronflant
7. Lorsque Boucle d'or oublie d'allumer son micro quand elle fait un reportage en direct à la télé.

Je dois revoir Rose demain, alors j'espère qu'elle sera satisfaite ! Je ne sais pas où elle veut en venir avec ses listes et ses analyses, mais j'aimerais bien en finir avec tout ça.

Hier soir, la mère Michel a invité Reine à souper avec nous dans la chaumière. Pour l'occasion, elle avait préparé son fameux bœuf bourguignon. Un vrai délice. Après le repas, Reine nous a invités à un brunch pour l'anniversaire du Petit Poucet dans moins d'une semaine.

« Il peut enfin s'adresser à moi sans bégayer, nous a expliqué Reine. Je crois que jusqu'à tout récemment, il craignait encore que je l'empoisonne ! Bref, je tiens à organiser une petite fête pour qu'il comprenne à quel point je tiens à lui, et la mère Michel a offert qu'on la fasse chez elle. Nous aimerions beaucoup que vous y assistiez ! »

« C'est d'accord ! » s'est aussitôt exclamé Joyeux, tandis que je bougonnais dans mon coin.

Encore un événement joyeux où je me sentirai comme le rabat-joie.

20 avril

Quand j'ai remis ma liste à Rose, elle a froncé les sourcils.

« Allons, Grincheux ! Je ne peux pas croire qu'il n'y ait que cela qui te donne envie de sourire ! Pense un peu aux six autres nains qui cohabitent avec toi, et à la mère Michel qui vous comble de petites attentions ! Ça ne te rend pas heureux de te sentir aimé ? »

« Mouais… je suppose », ai-je répondu vaguement.

« As-tu une amoureuse ? »

« Quoi ? Que… Je… Non ! Pas d'amoureuse ! L'amour, ce n'est pas trop mon truc. »

« Allons, m'a-t-elle répondu, bien sûr que c'est "ton truc" ! Tout le monde mérite d'aimer et d'être aimé. »

Elle a ensuite plongé son regard dans le mien, s'attendant sûrement à ce que je craque et que j'éclate en sanglots. Après un long moment de silence gênant, elle a toussoté, comprenant soudain que je n'allais pas céder.

« J'ai aussi fait mes recherches, a-t-elle dit enfin, et j'ai appris qu'il existait une sorte de maladie qui empêchait certaines personnes de sourire. C'est difficile de savoir si tu en souffres, mais je crois qu'il faut explorer toutes les possibilités. »

« Y a-t-il un remède contre cette maladie ? »

« Il existe effectivement une plante capable de rendre le sourire à ceux qui l'ont perdu, mais on ne la trouve que dans la Forêt hantée. Donc, je crois qu'il serait plus sage de se concentrer

d'abord sur tes sentiments. Si vraiment rien ne fonctionne, on pourra songer à cette solution. »

« Mais pourquoi ne pas se rendre immédiatement dans la Forêt hantée, s'il existe une plante pour me guérir ? »

« Comme son nom le dit, il s'agit d'un endroit très dangereux où même les plus valeureux chevaliers refusent de mettre les pieds… On raconte même que ceux qui y entrent en ressortent rarement vivants. »

J'ai insisté encore un peu, mais j'ai bien senti que Rose tenait à poursuivre nos séances. Elle veut que j'explore mes émotions, mais je suis certain que cette plante mettrait fin à mon problème. Il ne me reste plus qu'à enquêter sur cette fameuse Forêt hantée. Je suis sûr que Rose exagère et que ce n'est pas aussi terrifiant qu'elle le croit.

21 avril

C'est encore plus effroyable que me l'a décrit Rose. Après des recherches sur Internet, j'ai découvert que la Forêt hantée était située en bordure de la contrée de Romandefiction. Ceux qui ont réussi à s'en sortir sains et saufs ont été les témoins de nombreux phénomènes étranges et inexpliqués. On parle ici de fantômes, d'esprits, d'ombres nocturnes, de cris stridents, de ballets de sorcières et j'en passe.

À bien y penser, je crois que Rose a raison de vouloir poursuivre nos séances. Si je peux apprendre à sourire sans risquer ma vie en affrontant des monstres verts et horribles, alors pourquoi pas ?

24 avril

Ce matin, je me suis fait réveiller par Beau Prince. Il frappait à la porte avec tant d'acharnement que je croyais qu'il allait la casser. J'ai crié aux autres de lui ouvrir, en plongeant la tête sous l'oreiller, mais je me suis rendu compte que j'étais seul à la maison. Les autres nains avaient eu envie

de profiter de notre journée de congé pour faire une balade matinale en nature. Beurk! Pourquoi aller s'amuser dans l'herbe à poux avec les moustiques, alors qu'on peut rester à la maison et jouer au Nintendo!

J'ai fini par me sortir du lit et me traîner les pieds jusqu'à la porte. Quand j'ai ouvert, Beau Prince a sursauté. Je ne croyais pas avoir si mauvaise mine le matin.

« Que se passe-t-il, Beau Prince? Pourquoi tout ce vacarme? »

« Désolé de te réveiller, Grincheux… Mais il est plus de 11 h, et j'étais sûr que tu étais déjà levé! Je suis tombé sur les autres nains dans la forêt, et ils s'apprêtaient à faire un pique-nique. J'ai réalisé que tu n'étais pas là et j'ai insisté pour venir te chercher avant qu'ils se mettent à table! »

« Merci, Beau Prince, mais je n'ai aucune envie de sortir de la maison. Je compte passer la journée devant la télé. Si tu as envie de venir t'amuser à des jeux vidéo, tu es le bienvenu. »

« Non, merci. Blanche-Neige m'a dit que ce n'était pas bon pour mon teint. D'ailleurs, je crois que ça ne te ferait pas de tort de prendre un peu d'air. Tu es un peu pâle… »

« Non merci !… »

« Alors, laisse-moi te prêter ma crème pour le visage. C'est Blanche-Neige qui me l'a achetée. Ça donne de l'éclat sans même aller au soleil ! »

« Euh !… Merci, mais sans façon. J'aime bien mon teint. »

« Bon, c'est comme tu veux… »

Beau Prince est resté planté là en se tordant les mains et en hochant doucement la tête, comme s'il suivait le rythme d'une chanson imaginaire. J'avais refusé toutes ses propositions. Je ne comprenais pas pourquoi il ne retournait pas rejoindre mes amis. J'ai toussoté, puis j'ai cherché à terminer la discussion.

« Bon, euh !, je vais y aller moi. Mario Bros m'attend… », ai-je dit en reculant lentement pour refermer la porte.

« Non, attends ! Laisse-moi au moins te préparer à déjeuner ! »

« Euh !… Bon, si tu insistes. »

J'aurais dû refuser. Beau Prince est allé faire des courses, puis il m'a préparé un sandwich végétarien infect à base de céréales. J'ai essayé de prétendre que c'était délicieux, mais je n'ai pu m'empêcher de grimacer dès la première bouchée.

« Tu n'aimes pas ? »

« Disons simplement que ce n'est pas trop dans mes habitudes de manger ce genre de trucs », ai-je répondu en reposant le sandwich.

« On s'habitue, m'a-t-il répondu en grignotant des graines de tournesol. Avant, j'étais comme toi. Je me nourrissais de viande rouge et je raffolais des gras trans, mais depuis que Blanche-Neige est Miss Livredecontes et qu'elle fait attention à son alimentation, elle m'a enseigné des tonnes de choses sur la nutrition. Savais-tu que, par exemple, les oméga-3… »

Il a continué à baragouiner sur les bienfaits des grains entiers et des oméga-3 pendant un temps qui m'a semblé une éternité. À un moment, j'ai posé ma tête sur la table et j'ai fermé les yeux. Beau Prince a toutefois poursuivi son discours sans même se rendre compte que je somnolais.

C'est Prof et Joyeux qui ont mis fin à mon supplice en rentrant à la maison.

« Tiens, bonjour Beau Prince, a dit Prof. Je me demandais justement où vous étiez, tous les deux ! »

« Eh bien !, comme Grincheux refusait de sortir, je suis resté ici pour lui tenir compagnie et pour

m'assurer que tout allait bien », a répondu Beau Prince en lui faisant un clin d'œil.

« Beau Prince, peux-tu venir un instant ? Je dois te parler... de... Blanche-Neige », lui a dit Prof en lui faisant signe de le suivre à l'extérieur.

Je les trouvais bien étranges, ces deux-là. Pourquoi Prof voulait-il parler à Beau Prince en privé ? J'ai profité du fait que Joyeux aille prendre sa douche pour me faufiler sous la fenêtre ouverte afin d'écouter leur conversation.

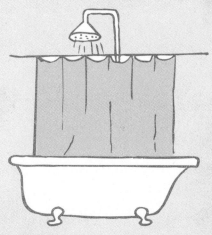

« Alors, a dit Prof, comment s'est passé la journée ? Est-ce qu'il t'a dit quelque chose ? »

« Il n'est pas très bavard, votre Grincheux ! a répondu Beau Prince. J'ai fait ce que vous m'avez

dit. Je suis venu ici, j'ai essayé de le convaincre de sortir, je lui ai parlé de sa mauvaise mine et ensuite nous avons eu une conversation palpitante sur l'hydratation et la nutrition…»

«Mais ce n'est pas du tout ce que je t'ai demandé! l'a coupé Prof. Je t'avais dit de le faire parler pour voir si quelque chose le tracassait! Pas de lui parler de régime et de crème antirides!»

Ça alors! Non seulement il me force à voir une conseillère, mais en plus, il envoie le mari de Blanche-Neige pour me tirer les vers du nez? Pour qui se prend-il, ce Prof? Je n'ai rien à dire à personne et je m'aime tel que je suis! Je voudrais bien que ça lui rentre dans la tête, une fois pour toutes!

25 avril

Après avoir surpris la conversation d'hier, je me suis enfermé dans ma chambre pour le reste de la journée afin de réfléchir et de jouer sur ma console. Je n'avais pas envie de voir personne ni de parler à qui que ce soit.

Ce matin, j'ai été forcé de sortir de ma tanière pour assister au brunch de la mère Michel pour l'anniversaire du Petit Poucet. Je n'ai rien contre lui, mais je dois avouer que n'eût été des crêpes aux fraises de notre hôtesse, je serais resté à la maison.

En arrivant chez elle, j'ai tout de suite aperçu Beau Prince, assis dans un coin tout près de Blanche-Neige. Les deux amoureux étaient en train d'expliquer à Boucle d'or comment se débarrasser de ses points noirs. J'ai vite fait demi-tour avant qu'ils ne m'interpellent et que je sois obligé de passer l'après-midi à les entendre parler d'hygiène cutanée.

Reine est venue me saluer et m'a tendu une assiette remplie de crêpes, de fruits, de petits gâteaux et de croissants. Je l'ai remerciée, puis je suis sorti dans la cour, loin des regards et des convives. Je suis quelqu'un de solitaire et, comme

j'habite avec six colocataires, je n'ai pas souvent l'occasion de me retrouver seul.

J'ai suivi le sentier qui part de l'arrière de la maison de la mère Michel et j'ai finalement trouvé refuge sur un rocher au bord d'un ruisseau. Je me suis installé pour manger en regardant le paysage. J'étais complètement plongé dans mes pensées quand j'ai senti une présence derrière moi. Je me suis retourné et j'ai vu une jeune femme blonde, vêtue d'une robe blanche, qui me regardait d'un drôle d'air. Son visage était parsemé de taches de rousseur et son sourire était tout simplement ensorceleur. Elle ressemblait à un ange.

« Salut ! » m'a-t-elle dit.

« Je… B… Bonjour », ai-je bafouillé.

« Je m'appelle Perle. »

« Et moi, c'est Grincheux. »

« Puis-je m'asseoir avec toi ? »

« Oui… »

Je me suis poussé pour lui faire une place sur mon rocher. Elle s'est assise à côté de moi, puis a pris un grain de raisin dans mon assiette, sans même me demander la permission. Normalement, ce genre d'agissement m'aurait mis les nerfs en boule, mais j'étais complètement bouche bée. Je me sentais un peu nerveux et je ne comprenais pas ce qui m'arrivait.

« Tu es venu à la fête ? » m'a-t-elle demandé en prenant un autre grain de raisin.

« Oui, j'accompagne des amis. Et toi ? Tu es venue avec ton petit ami ? »

Elle m'a regardé d'un drôle d'air, puis elle a éclaté de rire.

« Oh non ! Je n'ai pas de petit ami. Je suis plutôt difficile. Il faut qu'il soit mon genre. »

« Ah… Et c'est quoi, ton genre ? »

Je me surprenais moi-même avec ces questions. Je n'ai pas l'habitude d'être aussi direct avec les gens, et encore moins avec les jolies filles.

« Hum !… a-t-elle fait, en réfléchissant. J'aime les garçons plus matures, et plus solitaires ! »

Elle a terminé sa phrase en me faisant un clin d'œil. Décidément, elle ne manquait pas de détermination !

« Dis donc, a-t-elle poursuivi, je suis nouvelle ici et j'aimerais bien que quelqu'un me fasse visiter la ville. Je veux absolument tout connaître sur Livredecontes ! Aurais-tu envie de venir te balader demain ? »

« D'accord ! » ai-je répondu sans hésiter.

J'allais lui demander ce qui l'amenait à Livredecontes lorsque nous avons été interrompus par Boucle d'or.

« Perle ! C'est ici que tu te caches ! Et je vois que tu as fait la connaissance du boute-en-train du village ! » a-t-elle dit d'un ton sarcastique.

J'ai froncé les sourcils, puis j'ai baissé la tête d'un air honteux.

« À vrai dire, chère cousine, je m'ennuyais à ta fête, et j'avais beaucoup plus de plaisir avec mon nouvel ami Grincheux », a répondu Perle du tac au tac.

J'ai levé les yeux vers elle, surpris. Je n'arrivais pas à en croire mes oreilles. Je m'attendais à ce que Perle se moque de moi, mais voilà qu'elle se portait à ma défense !

« J'ai toujours dit que tu avais des goûts bizarres, a rétorqué Boucle d'or en contemplant ses ongles. Bon, il est l'heure d'y aller et comme j'ai rendez-vous chez l'esthéticienne, je me suis dit que tu pourrais m'y accompagner. Il paraît qu'elle peut faire des miracles pour faire disparaître les points noirs. »

Perle a émis un bâillement en guise de réponse, puis s'est tournée vers moi.

«Même si je n'ai aucune envie d'aller chez l'esthéticienne, il vaut mieux que je la suive si je ne veux pas qu'elle m'en veuille, m'a-t-elle dit tout bas. Je viendrai te rejoindre chez toi, demain, vers 14 h!»

«Mais tu ne sais même pas où j'habite!»

«Je trouverai bien!» a-t-elle dit en me décochant un autre clin d'œil.

Perle s'est levée et a suivi sa cousine jusqu'à la maison. Je n'étais peut-être pas capable de sourire, mais je sentais mon cœur déborder de joie.

26 avril

Je crois que j'ai des ennuis. Non seulement j'ai décidé de ne pas aller à mon rendez-vous avec Rose pour passer l'après-midi avec Perle, mais je dois avouer que cette fille est vraiment géniale!

Quand elle est arrivée à la chaumière, Timide est immédiatement allé se réfugier dans la salle de bains. Il ne supporte pas la présence de jolies filles! Son visage s'empourpre et il perd immédiatement ses moyens!

Prof est venu la saluer, et a levé son pouce en l'air avant que je quitte la maison. Dans le langage de mon ami, cela veut dire : « Bien joué ! Elle est vraiment jolie ! » Ensuite, j'ai traîné Perle jusqu'au centre-ville pour lui montrer les principaux magasins et les endroits que j'aime bien fréquenter. Nous avons fait un arrêt à l'arcade et elle a même réussi à battre mon record au jeu de course automobile ! Je ne m'attendais pas à ce qu'une fille comme elle soit aussi douée à la console ! Elle m'a raconté qu'elle avait l'habitude de jouer avec son frère avant de déménager ici et qu'à force de s'entraîner, elle était devenue assez bonne pour remporter des championnats !

« Et pourquoi as-tu déménagé ici ? » lui ai-je demandé.

« Mes parents et mon frère habitent dans la contrée d'Œuvrefantastique, mais il n'y avait pas d'emploi pour moi comme enseignante à l'école primaire, alors j'ai décidé de venir habiter avec ma cousine Boucle d'or pour essayer de chercher du travail ici. J'avoue que je ne savais pas trop à quoi m'attendre, mais jusqu'à maintenant, je me plais bien ici », m'a-t-elle dit en souriant.

J'ai baissé les yeux pour lui cacher que je ne pouvais lui rendre son sourire, mais je me suis vite rendu compte qu'elle n'était pas dupe.

« Pourquoi tu ne souris jamais ? » m'a-t-elle demandé d'un coup.

« C'est… C'est une longue histoire. »

« Je n'ai rien d'autre à faire. J'ai tout mon temps », m'a-t-elle répondu en prenant ma main.

Je n'arrivais pas à y croire. Pourquoi une fille aussi jolie, intelligente et drôle qu'elle consacre-rait-elle son énergie à essayer de détromper un nain bourru comme moi ?

J'ai décidé de saisir l'occasion et de me confier à elle. Je l'ai entraînée dans mon refuge favori situé en bordure de la forêt et nous nous sommes installés sur un banc.

« J'ai longtemps cru que je ne souriais jamais parce que je n'en avais simplement pas envie, ai-je commencé. Je suis de nature un peu bougonne, mais il m'arrive d'être heureux. Quand Blanche-Neige vivait à la maison et s'occupait de nous tous les jours, je me sentais aux anges ! Auprès d'elle, je me sentais quelqu'un de spécial et elle m'acceptait tel que j'étais. Elle ne se mettait jamais en rogne

contre moi lorsque je rouspétais dans mon coin. Je me sentais si bien à cette époque… même si je ne souriais jamais. »

« Et quand elle est partie, les choses se sont détériorées ? »

« Oui et non. Je me suis un peu senti abandonné. Elle s'est mariée avec Beau Prince, puis elle s'est mise à fréquenter ta cousine et les concours de beauté et s'est complètement transformée. Ça m'a fait de la peine de sentir que je perdais ma meilleure amie, mais je crois que ce qui me blesse le plus, c'est de me sentir seul. Les gens de mon entourage ne cessent de me casser les oreilles avec cette histoire de sourire. Je vois bien qu'ils ne m'acceptent pas vraiment comme je suis…»

« Eh bien, c'est tant pis pour eux ! On se connaît à peine, mais je vois bien que tu n'es pas une mauvaise personne. Je t'assure que je serai là pour toi, avec ou sans sourire », m'a répondu Perle en souriant.

« C'est gentil, Perle ! Mais tu n'as pas à supporter un grincheux comme moi. Tu mérites d'être entourée de gens dynamiques et drôles… Je devrais te présenter Joyeux, tiens ! »

« Je n'ai pas besoin de gens enjoués ! Je te trouve très bien comme tu es ! » a-t-elle rétorqué.

« Ça me fait chaud au cœur, mais je dois t'avouer que même moi, je commence à en avoir ras-le-bol de faire la tête. »

« L'important, c'est que tu fasses les choses pour toi, m'a-t-elle dit. Si tu es bien comme tu es, alors tu dois apprendre à te moquer de l'opinion des autres. Mais si tu as envie de changer et d'apprendre à sourire, alors qu'est-ce qui t'en empêche ? »

« C'est bien ça, le problème ! J'en suis incapable ! Mes amis ont décidé d'intervenir il y a quelques semaines parce qu'ils se font du mauvais sang pour moi. Ils ne veulent que mon bien, mais je sens aussi que ça les ennuie de me voir toujours de mauvaise humeur ! J'ai donc décidé de suivre leurs conseils et de parler de mes émotions avec Rose, mais ça ne débloque pas ! J'ai beau essayer de sourire, mon visage se crispe et ça sort en grimace ! Rose croit que mon incapacité à sourire est peut-être liée à une sorte de maladie que j'aurais contractée… »

« Existe-t-il un remède ? »

« Elle m'a dit qu'il existait une plante magique dans la Forêt

hantée, mais cet endroit paraît si effroyable que je préfère encore rester grognon toute ma vie ! »

Perle m'a regardé, puis s'est levée d'un bond.

« Et moi, je crois que nous devrions partir à la recherche de cette plante ! Tu dis toi-même que tu en as assez d'être incapable de sourire, alors si tu crois qu'il existe une solution à ton problème, je pense qu'il faut foncer ! »

« Euh ! Pas si vite, Perle ! J'admire ton courage et ta détermination, mais selon ce que j'ai lu, la Forêt hantée est un endroit plutôt dangereux. Je n'ai aucune envie de côtoyer des esprits et des fantômes ! Laisse-moi d'abord parler à Rose afin de voir s'il y a un moyen moins dangereux de régler mon problème. »

« D'accord, m'a-t-elle répondu. Mais promets-moi de me faire signe si tu décides d'y aller. C'est d'accord ? »

« Promis. »

Nous avons continué notre balade pendant encore un petit moment, puis je l'ai raccompagnée chez elle. On s'est promis de se revoir le lendemain pour jouer à la console. C'est génial de pouvoir compter sur une nouvelle amie !

MAI

6 mai

Cette semaine, je me sens complètement débordé, et je ne peux pas dire que ça améliore mon humeur. Non seulement c'est très dur au boulot avec toutes ces nouvelles cargaisons de charbon, mais en plus, j'ai décidé de mettre les bouchées doubles avec Rose pour essayer de trouver une façon de régler mon problème de sourire sans devoir affronter la Forêt hantée.

Malgré toutes nos séances – ma soudaine motivation l'a d'ailleurs convaincue de pardonner mon absence non motivée lors de ma journée avec Perle –, je ne vois aucune amélioration. Après chaque rendez-vous, je m'installe devant mon miroir, je pense à des choses qui me rendent heureux – j'avoue que le visage de Perle me vient souvent à l'esprit –, mais rien n'y fait. Je n'arrive toujours pas à sourire.

Heureusement que Perle est là pour m'écouter. Chaque soir, elle m'attend devant le bureau de Rose pour qu'on puisse se balader et se détendre un peu avant de devoir tout recommencer le jour suivant. Elle me raconte sa journée et ses démarches pour se trouver du travail. Quant à moi, je lui dévoile mes pensées et des secrets que je ne croyais jamais révéler à qui que ce soit ! Par exemple, je lui ai avoué que dans mon enfance, j'avais accepté de manger une tartelette aux pommes offerte par une fille de ma classe qui me plaisait, tout en sachant très bien que j'étais allergique ! Tout le monde a cru que c'était un accident, mais la vérité, c'est que je n'avais pas osé refuser de peur de lui déplaire. Résultat : une semaine complète à l'hôpital !

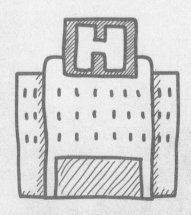

Plutôt que de me traiter de fou, Perle m'a dit que c'était la chose la plus romantique qu'elle ait entendue.

« Les gens sont tombés sous le charme de l'histoire de Blanche-Neige parce que Beau Prince l'a secourue en lui donnant un baiser, mais je trouve que ton récit est bien plus romantique ! Tu étais prêt à t'empoisonner pour plaire à la fille que tu aimais ! Tu es plus brave qu'un prince charmant ! » m'a-t-elle dit d'un ton passionné.

Ses yeux brillaient et elle me regardait d'un air tendre. Je n'arrivais pas à en croire mes oreilles ! Je peux être sensible à mes heures, mais de là à me comparer à Beau Prince ! Si je le pouvais, j'en éclaterais de rire !

8 mai

Ce matin, Perle m'a rendu une petite visite avant que je parte au boulot. Elle avait même apporté des petits gâteaux aux cerises et du café au lait. J'étais un peu surpris de la voir de si bonne heure. Selon elle, c'était urgent et elle devait absolument me parler.

Nous nous sommes aussitôt installés à la table à pique-nique. Perle semblait nerveuse.

« Que se passe-t-il ? Quel bon vent t'amène par ici de si bonne heure avec le petit-déjeuner ? »

« Je crois que j'ai fait une gaffe… », m'a-t-elle avoué.

« Qu'est-ce que tu veux dire par là ? »

« Hier soir, je m'apprêtais à me mettre au lit, lorsque Boucle d'or est venue me voir pour savoir comment se déroulait mon adaptation à Livredecontes. Après tout, je ne la vois que très rarement. Avec son métier de journaliste, elle n'est pas souvent à la maison. Je lui ai répondu que tout allait bien, et que tu étais en grande partie responsable de mon bonheur. Tu m'as appris des tonnes de choses et passer du temps avec toi m'évite d'avoir le cafard et le mal du pays. Boucle d'or a eu l'air surprise que je me sois tant attachée à toi. Elle

m'a demandé ce que je te trouvais et ce que nous avions en commun. Je n'avais aucune intention de me confier à elle, mais elle connaît son métier et elle est très douée pour soutirer des informations ! Je lui ai dit que, malgré les apparences, tu étais un garçon très sensible et que tu étais surtout un grand incompris. Comme elle avait l'air sceptique, je lui ai raconté que tu n'arrivais pas à sourire, et je lui ai peut-être dévoilé quelques détails sur ton enfance pour appuyer mes propos.

Boucle d'or a évidemment sauté sur l'occasion pour obtenir des détails croustillants : quel genre de traumatismes tu avais vécu?, de quelle maladie tu souffrais?, ce que tu comptais faire pour t'en sortir? Je me suis alors rendu compte qu'elle cherchait simplement une bonne histoire à se mettre sous la dent pour son émission de télé. Je ne lui en ai pas dit plus, mais je l'ai entendu faire des appels pour préparer un reportage sur toi. Je n'aurais jamais dû lui faire confiance. Je suis désolée, Grincheux. Je t'ai trahi sans le vouloir et je me sens terriblement coupable. »

Je me suis levé pour faire les cent pas. Je n'avais pas besoin d'avoir Boucle d'or dans les pattes en plus du reste. J'étais un peu en colère, mais je savais bien que Perle avait révélé ces informations personnelles à sa cousine dans le but de me défendre et non de me causer des ennuis.

Je m'apprêtais à la rassurer lorsque nous avons été interrompus par les sifflements de Dormeur, de Joyeux et de Prof qui sortaient de la maison pour se rendre au boulot.

« Siffler en travaillant, siffler en travaillant », commencèrent-ils à chantonner.

« Je dois filer, ai-je dit à Perle. On s'en reparle ce soir. Ça me laissera le temps de penser à une solution pour éviter que ta cousine fasse un scandale avec… ma condition. »

Le problème, c'est qu'il ne me reste que quelques heures pour trouver cette solution miracle !

9 mai

Hier soir, j'ai décidé de rentrer un peu plus tôt du travail pour appeler Perle et lui faire part de mon plan, mais quelle ne fut pas ma surprise d'apercevoir Boucle d'or et son équipe de caméramans qui m'attendaient devant chez moi.

« Ça alors ! On peut dire que tu n'as pas perdu de temps ! » me suis-je exclamé en voyant Boucle d'or.

« Je ne sais pas ce que ma cousine t'a raconté, mais ce n'est pas ce que tu crois. Je viens simplement prendre de tes nouvelles ! » a-t-elle répondu.

« Avec deux caméramans et un micro ? »

« Euh !... ouais !, a-t-elle bafouillé. Ils me suivent partout ! »

« Et depuis quand t'intéresses-tu à moi ? »

« Depuis que tu fréquentes ma cousine ! Tu sais, les gens ont tendance à croire que je ne pense qu'à moi, mais c'est faux. Je m'intéresse aux autres. J'aime les faire parler pour concocter des reportages qui sauront capter l'attention de mes téléspectateurs. Évidemment, je sais bien que mon apparence joue un certain rôle dans ma popularité, mais que puis-je faire si les gens me trouvent jolie ? Ce n'est quand même pas de ma faute si je suis née comme ça ! »

Je l'ai regardée sans dire un mot. Elle tortillait ses cheveux avec son doigt, satisfaite de son discours.

J'ai toussoté pour montrer mon malaise, mais comme elle ne comprenait pas, je suis allé droit au but.

« Écoute, Boucle d'or. Perle m'a dit ce qu'elle t'avait raconté à propos de ma... condition. Bref, je

sais que tu sais que je n'arrive pas à sourire et que tu es sans doute ici pour me sortir les vers du nez... »

« QUOI? Tu as des vers dans le nez? s'est-elle écriée. Les gars, vous devez filmer ça! Grincheux est en train de nous révéler quelque chose d'important! »

« Non! NON! Ne filmez pas! Je n'ai pas de vers dans le nez! C'est une expression, Boucle d'or! Ce que je voulais dire, c'est que je sais bien que tu es ici parce que tu espères que je te dévoile des secrets sur mon passé, mais je n'ai rien à dire. J'ignore pourquoi je suis comme ça. J'ai tout essayé pour arriver à sourire, mais rien n'y fait. Il ne me reste qu'un seul espoir, mais c'est plutôt risqué... Et c'est ton jour de chance, car j'ai décidé de tout te raconter. »

« Puis-je filmer notre conversation? »

« NON! Hors de question. La seule raison pour laquelle je te parle de tout ça, c'est parce que je sais que tu ne me laisseras pas tranquille, et parce que je veux que les habitants de Livredecontes sachent la vérité en ce qui me concerne. Bref, je suis prêt à tout te dire, mais ton équipe doit partir. Ce sera une entrevue entre Perle, toi et moi. C'est à prendre ou à laisser. »

Boucle d'or a incliné légèrement la tête en adoptant une mine attristée afin de me charmer et de me convaincre de changer d'idée, mais comme je restais de marbre, elle s'est vite redressée et elle a fait signe à son équipe de s'en aller.

Perle est arrivée quelques instants plus tard.

« Grincheux, que se passe-t-il ? Qu'est-ce que ma cousine fait ici ? »

« Pour commencer, je dois résumer la situation à Boucle d'or. »

Cette dernière s'est penchée vers moi comme si je m'apprêtais à lui dévoiler un secret d'État.

« Je ne sais pas si Perle te l'a dit, mais je consulte une conseillère depuis quelques semaines pour essayer de retrouver le sourire. Le problème, c'est que mes efforts ne donnent aucun résultat, ce qui me porte à croire que je souffrirais plutôt d'une sorte de maladie. Elle m'a par ailleurs rapporté qu'il existe une plante magique dans la Forêt hantée capable de me rendre le sourire et de me faire retrouver ma joie de vivre ! »

Boucle d'or avait l'air passionnée par mon récit.

« J'ai passé la journée à y réfléchir, et j'ai décidé de partir à la recherche de cette plante. Je sais

que Perle veut m'accompagner, et comme tu ne me laisseras pas tranquille, je voulais te proposer de nous accompagner, toi aussi. Tu dois toutefois savoir que la Forêt hantée est un endroit extrêmement dangereux. Cette excursion ne sera pas facile. »

Boucle d'or m'a regardé droit dans les yeux, puis elle s'est levée d'un bond et m'a serré la main avec vigueur.

« Mais bien sûr que je veux y aller ! C'est génial, comme aventure ! Je vais de ce pas annoncer à mon équipe qu'on se lance dans la brousse ! »

« Non ! Il est hors de question que ton équipe nous accompagne. Nous devrons être discrets et nous déplacer très rapidement. Je ne veux pas être encombré par tes caméramans. Tu devras voyager seule. »

« J'accepte ! a-t-elle répondu vivement. Quand partons-nous ? Je dois vite aller faire mes bagages ! Je pourrai enfin mettre ma nouvelle blouse à pois verts ! Elle s'agencera parfaitement aux couleurs de la forêt. »

« Euh !... si tu le dis, ai-je répondu en me grattant la tête. Voici le plan : comme je ne veux pas que les autres nains soient au courant de notre expédition, je leur dirai que je dois m'absenter quelques jours pour vous accompagner à Œuvrefantastique, car Perle a le mal du pays. Je compte sur votre discrétion. Personne ne doit être au courant de ce que nous nous apprêtons à faire ! Boucle d'or, tu seras témoin de beaucoup de choses lors de notre aventure. Je compte sur toi pour raconter la vérité aux habitants lors de notre retour. Je veux qu'ils sachent que ce n'est pas de ma faute si je suis bourru. Mais d'ici là, pas un mot à quiconque.

Demain, j'irai aussi rendre visite à Rose, pour lui emprunter son livre qui parle de cette plante magique. Je dois découvrir où se trouve exactement ce remède. Je lui dirai que je veux faire des recherches par curiosité, car je ne veux pas éveiller les soupçons. Si tout va bien, nous partirons après-demain à l'aube. Rendez-vous à l'orée du bois. »

Perle et Boucle d'or ont hoché la tête.

« Boucle d'or, tu ferais mieux d'y aller avant que les nains rentrent à la maison. S'ils te surprennent ici, ils comprendront que quelque chose ne tourne pas rond. Perle, tu veux bien rester un peu ? J'aimerais te dire un mot. »

Boucle d'or est partie et Perle et moi sommes allés nous asseoir à l'extérieur.

« Ça tombe bien, a-t-elle commencé, je voulais te parler, moi aussi. Pourquoi avoir invité ma cousine à nous accompagner dans la Forêt hantée ? Es-tu tombé sur la tête ? »

« À vrai dire, je comptais me débarrasser d'elle en lui promettant l'exclusivité de notre aventure dès notre retour, mais lorsque je l'ai vue devant chez moi avec son équipe de tournage, j'ai su que je n'allais pas m'en sortir aussi facilement. Je préfère donc l'emmener avec nous. Je cours moins d'ennuis en la gardant à l'œil ! »

« C'est ingénieux ! Je suis vraiment désolée, Grincheux. C'est de ma faute si nous devons impliquer Boucle d'or dans toute cette histoire. Mais tu as raison… il vaut mieux qu'elle nous accompagne plutôt que de la laisser dire des ragots pendant notre absence ! Je suis certaine qu'à force de passer du temps avec toi, elle réalisera à quel point tu es sensible et charmant ! »

Son commentaire m'a fait rougir comme Timide.

J'ai bien hâte de voir ce que le livre de Rose raconte sur cette fameuse plante magique…

10 mai

Ce matin, je suis allé voir Henri pour lui dire que je devais m'absenter du travail pour des raisons personnelles, puis j'ai expliqué aux nains que Perle avait le mal du pays, et qu'elle tenait à ce que je l'accompagne.

« Pourtant, elle avait l'air de bonne humeur, hier matin ! C'est assez étrange qu'elle insiste pour que tu l'accompagnes, tu ne crois pas ? » s'est enquis Prof.

« C'est… qu'elle cache bien son jeu, lui ai-je répondu. Elle n'a pas envie de passer la semaine à supporter Boucle d'or sans mon aide ! »

« Ah !, ça, je peux la comprendre ! » a répondu Dormeur.

Il est en rogne contre Boucle d'or depuis qu'elle l'a utilisé comme cobaye pour un reportage sur les problèmes de sommeil. Elle a diffusé sur la chaîne nationale des images de lui en train de ronfler, et Dormeur a été la risée de tous pendant des semaines ! Même encore aujourd'hui, il arrive que

des gens imitent des ronflements en le croisant dans la rue !

Après avoir salué Prof, j'ai fait un saut chez Rose pour lui emprunter son livre sur la plante magique.

« Pourquoi le veux-tu ? m'a-t-elle demandé d'un air suspicieux. Comptes-tu partir à la recherche de la plante ? Nos efforts n'ont pas encore porté leurs fruits, mais si on continue, on finira bien par comprendre ce qui t'empêche de sourire ! »

« Et si la plante était la seule façon de remédier à mon problème ? Je veux juste me renseigner à son sujet… C'est tout. »

Elle m'a regardé avec un drôle d'air, mais elle a fini par me tendre le livre dont j'avais besoin pour planifier notre expédition. Je l'ai remerciée et je suis rentré à la maison pour me plonger dans ma lecture et préparer mes bagages. J'espère que cette opération risquée dans la Forêt hantée nous permettra de trouver une cure à ma maladie et de montrer à tous les habitants de Livredecontes que je ne suis pas aussi malheureux qu'ils le croient.

11 mai, au crépuscule

Tout est prêt pour le départ! Je n'ai pas fermé l'œil de la nuit, car j'étais trop occupé à lire le livre de Rose. Selon ce que j'ai appris, la plante portant le nom de *Bonheuratus* fournit une sève magique qui aurait le pouvoir de rendre le sourire à tous ceux qui l'ont perdu.

Bonheuratus

Heureusement pour nous, le livre propose une carte qui indique clairement l'endroit où se cache cette fameuse plante. Le problème, c'est qu'il faut relever plusieurs défis pour parvenir dans ce lieu.

J'ai passé la nuit à dresser notre itinéraire pour nous y rendre sans nous perdre. La route sera longue et ne sommes pas au bout de nos peines. J'ai d'ailleurs encerclé les trois principaux obstacles que nous devrons franchir pour nous rendre jusqu'à la plante. Tout d'abord, nous devrons traverser le pont de l'Épouvante, qui est protégé par le Lutin maléfique. Ensuite, nous devrons grimper au sommet de la montagne

Effrayante, qui est gardée par la sorcière aux douze doigts et enfin, nous devrons affronter le monstre de la forêt pour mettre la main sur notre végétal.

J'ai pris soin de prendre une boussole, un imperméable, une tente, une corde, un briquet, une lampe frontale et quelques couvertures. J'ai aussi fouillé dans notre garde-manger pour rassembler suffisamment de provisions pour tenir plusieurs jours. Pour le reste... Je m'attends un pèu au pire. Perle saura sans doute s'adapter à un environnement sauvage, mais la tâche sera plus ardue pour Boucle d'or.

11 mai, 2 heures plus tard

J'avais vu juste. J'ai rejoint les filles à l'orée de la forêt et j'ai tout de suite remarqué que la tenue de Boucle d'or ne convenait pas du tout à notre expédition. Elle portait une robe chiffon, un foulard en soie et des talons hauts. Quatre valises à roulettes attendaient à ses côtés.

Perle a fait de gros yeux.

« Euh !... Boucle d'or, où crois-tu aller comme ça ? » ai-je dit.

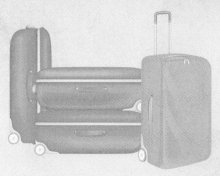

« Ah, non ! Tu ne vas pas t'y mettre, toi aussi ! Il est hors de question que je m'habille en garçon manqué, comme Perle ! »

« Tu dois comprendre que nous allons marcher dans la boue, traverser des rivières et même dormir sur le sol ! Tu ne voudrais quand même pas ruiner tes jolies chaussures ni tous tes vêtements de marque ? » lui a répondu Perle, en me faisant un clin d'œil.

Très ingénieux, comme stratégie.

« Non… Tu as raison. C'est bon, je vais me changer. Perle, tu devras me prêter des vêtements. Ce n'est pas dans mes habitudes de porter des fringues aussi moches que les tiennes. »

« Hum !… Merci, Boucle d'or. C'est très gentil. »

Les filles se préparaient à partir quand je les ai arrêtées.

« Au fait, Boucle d'or, je ne sais pas comment tu comptes transporter ces valises, mais ce n'est pas pratique du tout ! Tu as assez de vêtements pour tenir pendant trois ans ! Contente-toi du strict minimum. Et évite les valises à roulettes ! »

« Pourtant, je n'ai apporté que l'essentiel ! Ma brosse à dents électrique, mon séchoir à cheveux, mon fer à friser… »

« Boucle d'or, tu es consciente que nous allons dans la forêt, n'est-ce pas ? »

« Bien sûr que oui ! Pour qui me prends-tu ? »

« Et tu réalises que dans la forêt, il n'y a pas d'électricité ? »

« Et alors ? Qu'est-ce que ça vient faire avec mes accessoires ? Non, mais ! Vous pouvez m'enlever mes chaussures et mes robes, mais il est hors de question que je parte sans mes appareils électriques… »

Elle s'est interrompue, l'air songeur. Après un long silence, elle a finalement ramassé ses valises :

« C'est bon, j'ai compris. Allez, viens Perle ! Tu dois m'aider à faire le tri ! »

J'ai soupiré en regardant les deux filles s'éloigner. Je me suis couché dans l'herbe pour faire un somme. Je sentais que l'attente allait être longue !

11 mai, après la tombée de la nuit

Lorsque les filles sont revenues, je m'étais assoupi. La mauvaise nouvelle, c'est que nous avions perdu des heures précieuses et que nous n'avions pas atteint l'objectif que je nous avais fixé pour la journée. La bonne nouvelle, c'est que Perle avait réussi à raisonner Boucle d'or, qui a finalement accepté de limiter ses effets personnels au strict minimum, de les transporter dans un sac à dos et d'enfiler une tenue confortable empruntée à sa cousine.

« Mais qu'est-ce que les gens vont penser s'ils me voient dans cette tenue ? » s'est-elle exclamée alors que nous commencions à marcher.

« Je suis sûr que les sorcières, les lutins, les trolls et les ours te trouveront très à la mode », ai-je répondu.

Perle a retenu un fou rire et Boucle d'or a écarquillé les yeux.

« Dans quoi me suis-je embarquée ? »

Nous avons marché pendant quelques heures en suivant le sentier qui mène jusqu'à la Forêt hantée, puis nous avons établi notre campement en bordure d'une rivière afin de nous rafraîchir. Jusqu'à maintenant, tout se passe plutôt bien, mais j'appréhende la suite. L'objectif de demain est de nous rendre à l'orée de la Forêt hantée. C'est à partir de là que les choses risquent de se gâter.

12 mai

Ce matin, je me suis fait réveiller par les cris de Boucle d'or.

« Mais où sont les brioches ? » hurlait-elle devant la tente. Je suis sorti rapidement pour la faire taire avant qu'elle ne réveille Perle.

« Que fais-tu debout aussi tôt ? Le soleil n'est même pas encore levé ! »

« J'ai l'habitude de me lever à 5 heures tous les matins pour méditer avant d'aller courir. »

« Mais tu n'as pas besoin de courir ! Nous allons faire de la randonnée toute la journée ! »

« Ah, tiens ! Je n'avais pas pensé à ça ! Bon… Comme je suis déjà debout, j'ai envie de prendre mon petit-déjeuner ! Et je ne vois pas les brioches ! »

« Quelles brioches ? »

« Tu veux dire que tu n'as pas apporté de brioches ? Mais que vais-je faire ? Je ne peux pas survivre sans mes brioches ! »

J'ai soupiré. Décidément, vivre avec Boucle d'or n'allait pas être de tout repos.

« Non, je n'ai pas apporté de brioches. Mais j'ai du bon pain », ai-je répondu en lui tendant une miche.

« Mais ce pain est bien trop sec ! » m'a-t-elle reproché.

« (Soupir.) Bon, alors, je peux te proposer des croissants. »

« Mais ces croissants sont bien trop gras ! » m'a-t-elle dit.

« Alors, prends ces brioches ! » est intervenue Perle, en sortant de la tente et en lui tendant un sac de viennoiseries.

« Ah, elles sont parfaites ! » s'est-elle exclamée enfin.

« Elle ne peut pas vivre sans ses brioches ! J'ai fait un petit arrêt à la boulangerie avant de partir, m'a expliqué Perle devant mon air perplexe. Comme il fait bon ce matin ! » s'est-elle exclamée en se frottant les yeux, encore toute endormie.

Je crois qu'elle est encore plus jolie quand elle sort du lit.

Après avoir démonté la tente et rangé nos affaires, nous avons repris la route en direction de la Forêt hantée. La journée était plutôt nuageuse, et je croisais les doigts pour que la pluie ne tombe pas. Je n'avais aucune envie de découvrir le caractère de Boucle d'or quand elle a les pieds mouillés !

Heureusement pour nous, le soleil a réussi à percer les nuages au milieu de la journée. Nous en avons profité pour faire une pause et prendre une collation.

« Oh ! Je n'avais pas remarqué que mes ongles étaient si abîmés ! » s'est exclamée Boucle d'or en sortant son kit de manucure.

J'ai fait de gros yeux à Perle, qui a aussitôt éclaté de rire en s'asseyant tout près de moi.

« C'est la seule chose qu'elle a refusé de laisser chez elle, a-t-elle chuchoté. C'est quand même mieux qu'un séchoir ! »

« Hum !... ouais ! Ça prend moins de place que des talons aiguilles. »

Perle m'a regardé dans les yeux et m'a souri. Il y avait une étincelle dans son regard. Si seulement je pouvais répondre à son sourire, elle pourrait savoir à quel point je tiens à elle et combien je la trouve jolie. Je ne sais pas comment elle fait pour garder son sang-froid et sa bonne humeur chaque fois qu'elle fait face à mon air renfrogné.

Il faut absolument que je mette la main sur cette plante !

13 mai, au matin

Ça n'a pas été de tout repos, mais hier, nous avons réussi à nous rendre à la lisière de la Forêt hantée. Nous avons établi notre campement tout près du sentier qui conduit à l'intérieur.

L'endroit paraît plutôt macabre. Les arbres sont gigantesques et semblent isoler la forêt du reste du monde.

« C'est ce qui nous attend pour les prochains jours ? » m'a demandé Boucle d'or.

« Oui… Cet endroit me donne des frissons dans le dos. Couvrez-vous bien avant de partir. »

« Mince ! s'est exclamée Boucle d'or. Je devrai enfiler la veste en faux mouton de Perle. Cousine, on peut dire que tu as du chemin à faire pour être à la mode ! Si tu savais ce que j'ai vu dans sa garde-robe, Grincheux ! C'est à mourir de honte ! »

« Au moins, je ne me regarde pas le nombril à longueur de journée ! » a rétorqué Perle sèchement.

« QUOI ? Je ne me regarde jamais le nombril, tu sauras ! À vrai dire, il me fiche des complexes… Je le trouve trop bombé, trop saillant. Je suis jalouse des filles comme Blanche-Neige qui ont le nombril rentré à l'intérieur… »

« Tu vois ! C'est exactement ce que je disais ! Tu ramènes toujours tout à toi ! Tu te fiches de ce que les autres pensent, ou de ce qu'ils ressentent ! On s'en moque de ta veste en mouton ! Nous ne sommes pas ici pour un défilé de

mode ! Nous sommes ici pour rendre le sourire
à Grincheux ! »

« Et nous sommes aussi ici pour que je puisse
raconter à tous les habitants de Livredecontes
que Grincheux n'est pas aussi rabat-joie qu'on
le dit ! Ne viens pas me faire croire que ça ne
l'arrange pas que l'animatrice la plus populaire
de Livredecontes se soit jointe à vous dans cette
aventure ! Alors, arrête de me casser les oreilles
avec ta simplicité volontaire. Laisse-moi m'habil-
ler comme bon me semble ! »

« ARGH ! TU N'ES QU'UNE… »

« AAAAAAAAH »

Un cri effroyable nous a fait sursauter au
moment où Perle s'apprêtait à sauter sur sa cousine. Un deuxième cri strident provenant de la
forêt a propulsé Perle directement dans mes bras.

« Quel… Quel est ce bruit ? » a-t-elle murmuré
en tremblant.

« Je… Je crois que c'est un loup », ai-je
répondu en lui frottant nerveusement le dos.
C'est la première fois que je la tenais si près de
moi, et des effluves de noix de coco me mon-
taient aux narines. Le loup n'avait plus aucune
importance.

« Ça promet », a rétorqué Boucle d'or en se redressant.

« Écoutez, les filles… Ce n'est pas facile de vivre dans des conditions aussi précaires, je le comprends. Je suis très heureux que vous ayez insisté pour vous joindre à moi… Mais je ne veux pas vous faire courir de risques inutiles, ni ruiner notre amitié. Nous pouvons déjà constater que le reste de la route ne sera pas de tout repos, et je crois que ce serait imprudent de me suivre. Vous n'avez pas à risquer votre vie pour moi. C'est mon problème, après tout… »

« Et c'est moi qui t'ai rentré cette idée dans la tête, alors il est hors de question que je t'abandonne maintenant. J'irai avec toi jusqu'au bout ! » m'a répondu Perle.

« Et il est hors de question que je laisse filer une telle histoire ! Ce sera génial de pouvoir relater nos péripéties ! Je ferai tout un tabac à mon retour… » Boucle d'or s'est interrompue en voyant notre mine.

« Je… Je veux dire que j'aimerais aussi te venir en aide. Contrairement à ce que Perle prétend, je le fais pour toi, et pas seulement pour ma carrière. »

«Bon… ai-je dit après un moment de silence, si vous insistez et que vous êtes prêtes à me suivre, allons-y !»

13 mai, à la tombée de la nuit

J'adore les films d'horreur, je l'avoue. Joyeux ne comprend pas que j'écoute des trucs pareils, mais j'apprécie les décors un peu morbides et les scènes qui vous tiennent en haleine ! Ma vision des choses a toutefois beaucoup changé depuis ce matin. En mettant le pied dans cette forêt, c'est comme si j'étais le personnage principal de mon propre film d'horreur !

Les arbres sont si grands et impressionnants qu'ils bloquent pratiquement toute la lumière du soleil, et le sol est encombré de racines et de souches. Des paires d'yeux apparaissent parfois entre les arbres, sans que nous sachions à qui ils appartiennent.

«Et si c'était les yeux d'une sorcière ?» a soufflé Boucle d'or.

«Il vaut mieux poursuivre notre chemin avant de le découvrir», ai-je répondu vivement.

Des hurlements de loups se font entendre de toutes parts et de grands oiseaux noirs aussi

menaçants que des aigles ou des faucons survolent sans cesse la forêt.

Une chance que j'ai pensé à prendre ma boussole, car les sentiers se dédoublent bien souvent. Une simple erreur d'orientation pourrait nous envoyer directement dans le ventre d'un monstre.

En atteignant la clairière de l'Espoir, j'ai poussé un soupir de soulagement, puisque c'est là que je voulais passer la nuit. Je nous sens plus à l'abri à l'écart des arbres menaçants. J'espère que nous arriverons à fermer l'œil, car demain, nous devrons affronter le Lutin maléfique et traverser le pont de l'Épouvante !

14 mai, avant *le lever du soleil*

Boucle d'or, Perle et moi sommes debout depuis maintenant près d'une heure. Des bruits de pas près de la tente nous ont réveillés en sursaut.

À la lumière de ma lampe frontale, j'ai scruté les alentours, mais je n'ai vu personne. Avons-nous affaire à un animal, à un monstre ou à un esprit ? Je ne sais pas. Mais une chose est certaine : nous n'arriverons plus à fermer l'œil !

Boucle d'or a décidé de nous lire des articles de son magazine de mode (autre chose qu'elle ne pouvait abandonner) pour nous changer les idées. Je n'aurais jamais cru que l'agencement des teintes de rouges à lèvres et des foulards de soie puisse me rendre si heureux !

Dès que les premiers rayons du soleil poindront à l'horizon, nous sortirons de la tente et nous poursuivrons notre chemin en direction du pont.

Le livre de Rose donne très peu d'informations à propos du Lutin maléfique. On y lit seulement que « ceux qui oseront l'affronter devront trouver son point faible pour parvenir à traverser le pont ».

14 mai, plus tard

Aujourd'hui, Boucle d'or m'a grandement impressionné. Non seulement elle a su garder son sang-froid lorsque nous étions dans la tente, mais

en plus, c'est grâce à elle si nous avons pu traverser le pont de l'Épouvante !

Je récapitule : lorsque le soleil s'est enfin levé, nous avons tous poussé un soupir de soulagement, puis nous avons rapidement rangé nos affaires. Nous avons pris notre petit-déjeuner sans trop d'appétit, avant de poursuivre notre route. C'est étrange à quel point on craint moins les monstres et les phénomènes inexpliqués lorsqu'il fait jour !

Après avoir marché pendant environ trois heures, nous avons fait une pause en bordure du sentier. Un petit écureuil gris est venu s'asseoir près de nous.

« Je me demande ce qu'il fait ici », a dit Perle en lui lançant un morceau de pain.

« C'est vrai, ça. Il détonne parmi les autres créatures qui vivent par ici ! Cet écureuil est fait pour habiter en ville, comme moi ! » s'est excla-mée Boucle d'or.

« C'est vrai que vous êtes de la même espèce », a ajouté Perle avec un air moqueur en lui déco-chant un coup de coude amical.

« Si moi, je suis un écureuil, alors toi, tu es l'espèce de monstre étrange qui nous a réveillés cette nuit ! » a rétorqué Boucle d'or en éclatant de rire.

J'étais vraiment heureux de les voir s'amuser. Malgré tous les dangers qui nous guettaient, la tension venait de tomber entre les deux cousines.

Perle s'est tournée vers moi et m'a regardé d'un drôle d'air.

« Grincheux, je sais que tu n'arrives toujours pas à sourire, mais c'est la première fois que je vois une lueur aussi joyeuse dans tes yeux ! C'est bon signe, non ? »

« C'est vrai, ça, a ajouté Boucle d'or. C'est tout un progrès ! »

En haussant les épaules, je me suis empressé de ranger nos effets personnels. Cette lueur de bonheur était liée à la présence de Perle, mais je ne voulais pas qu'elle sache ce que je ressentais

pour elle. J'avais trop peur qu'elle me rejette. Après tout, elle est si jolie et radieuse, que je ne vois vraiment pas ce qu'elle ferait avec un grincheux comme moi.

Nous avons repris la route et nous avons marché jusqu'au pont de l'Épouvante, qui devait non seulement son nom à sa structure fragile, mais aussi à la rivière noire, grondante et menaçante qui coulait dessous.

Nous avons regardé autour de nous, sans voir personne.

« Peut-être que le lutin n'existe pas », a suggéré Perle.

« Ou peut-être qu'il est allé aux toilettes, a ajouté Boucle d'or. Nous devrions en profiter pour traverser avant qu'il ne revienne ! »

Pour une fois, j'étais d'accord avec elle ! Nous nous apprêtions à traverser le pont lorsque nous avons reçu une sorte de décharge électrique qui nous a fait tomber à la renverse.

Un tout petit homme (c'est le cas de le dire puisqu'il était plus petit que moi) est apparu devant nous en brandissant une sorte de perche.

« Que faites-vous ici ? Que me voulez-vous ? » s'est-il écrié.

Nous nous sommes relevés d'un seul coup.

« Pas de panique, monsieur Lutin, ai-je commencé. Nous ne vous voulons aucun mal ! Nous sommes ici parce que je n'arrive pas à sourire, et que seule la plante *Bonheuratus* a le pouvoir de régler mon problème ! Mais pour y arriver, nous devons d'abord traverser votre pont. »

« Et tu crois que je vais vous laisser passer aussi facilement ? »

« Vous n'avez qu'à nous dire ce qu'il faut faire, a répondu Perle. Je suis prête à tout pour aider mon ami à retrouver le sourire ! »

Le lutin l'a regardée en rougissant. Perle semblait l'intimider. Elle en a profité pour poursuivre sur sa lancée.

« Allons, monsieur Lutin ! Je suis certaine que vous pouvez comprendre le désespoir qui nous a poussé à venir jusqu'ici ! N'allez pas croire que c'est rigolo de traverser cette forêt ! Je vous en supplie ! Dites-nous ce qu'il faut faire ! »

J'ai fait un signe à Boucle d'or pour qu'elle renchérisse. Les filles semblaient avoir plus d'influence que moi.

Boucle d'or s'est avancée vers lui, puis elle a penché la tête sur le côté pour faire sa mine de jeune-fille-à-qui-on-ne-peut-rien-refuser.

J'ai alors vu le visage du lutin s'adoucir.

« Allons, petit Lutin maléfique ! Tu peux bien faire ça pour moi ! Regarde-moi bien ! Ai-je l'air du genre de fille qui aime se balader parmi les moustiques, les bestioles et l'herbe à poux ? Je ne suis pas ici pour faire du tourisme ni pour te causer des ennuis… Je veux juste aider mon ami. Évidemment, je ne comptais pas rencontrer de garçons aussi mignons que toi en cours de route ! Sinon, j'aurais enfilé une tenue plus… adéquate », a-t-elle dit en lui envoyant un baiser.

J'ai écarquillé les yeux en retenant mon souffle. Le lutin allait-il vraiment gober un truc pareil ? Le charme de Boucle d'or allait-il nous permettre de traverser ? Et si c'était elle, le point faible de notre adversaire ?

Celui-ci a respiré un bon coup, puis il s'est avancé vers Boucle d'or.

« Je vous laisserai passer si tu me donnes un baiser. »

Boucle d'or a semblé décontenancée par cette offre. Elle a poussé un long soupir, puis elle s'est avancée.

« Si je t'embrasse, tu promets de nous laisser partir ? »

« Oui », a répondu fermement le lutin.

« Ne va surtout pas t'imaginer que j'éprouve des sentiments pour toi, ni que ce baiser veut dire qu'on va se revoir ! Je ne veux pas de petit ami en ce moment. Je tiens vraiment à me concentrer sur ma carrière. »

Le lutin a froncé les sourcils et a eu un mouvement de recul.

« Allez, embrasse-le avant qu'il ne change d'idée ! » ai-je soufflé à Boucle d'or.

Cette dernière s'est penchée vers lui pour lui coller un baiser sur la joue.

J'ai alors cru voir des cœurs apparaître dans les yeux du lutin. Boucle d'or lui faisait tout un effet !

« C'est… C'est… bon… Vous pouvez pa-pa-passer », a-t-il bafouillé.

« Oh !, merci, monsieur Lutin ! » s'est exclamée Perle en lui sautant au cou.

J'ai ravalé ma jalousie, et je lui ai serré la main.

« Merci, monsieur, lui ai-je dit. Je vous souhaite une agréable journée. »

« Attendez ! » s'est écrié le lutin alors que nous poursuivions notre route. Il s'est approché de nous. Mon cœur battait à tout rompre. Et s'il avait changé d'idée ?

Il a alors tendu une petite carte à Boucle d'or.

« Si jamais tu as envie de me revoir », lui a-t-il dit en souriant.

> Monsieur Lutin Maléfique
> 555~666~7777

Boucle d'or lui a rendu son sourire, puis nous nous sommes empressés de traverser le pont avant qu'il se ravise.

Lorsque nous avons atteint l'autre rive, Boucle d'or et Perle ont applaudi de joie.

Boucle d'or nous a ensuite montré la carte que le lutin lui avait remise.

« Eh bien, dis donc ! Il ne manque pas d'aplomb, ce lutin ! S'il croit qu'il va me faire changer d'avis à cause d'un simple baiser… »

Toutefois, Boucle d'or a rangé précieusement la carte dans son sac. Pour une fille qui ne cherche pas de copain, elle n'a pas l'air si indifférente aux charmes de monsieur Maléfique !

16 mai

Les choses se sont compliquées depuis la traversée du pont. Je croyais que nous pourrions atteindre la montagne Effrayante en moins de deux jours, mais le sentier est plus ardu que je ne le croyais, et il vente tellement que nous avons de la difficulté à avancer.

Sans compter que nous devons souvent nous arrêter pour nous assurer que nous ne sommes pas poursuivis par des bêtes féroces. En effet, nous entendons de plus en plus de cris étranges retentir autour de nous. Souvent, des chauves-souris et d'autres animaux non identifiés survolent nos têtes.

Les nuits sont toujours aussi difficiles, puisqu'elles sont peuplées de bruits inconnus qui nous font sursauter très souvent. Comme le manque de sommeil commence à se faire sentir, Perle a proposé que chacun de nous monte la garde à tour de rôle pendant une heure. Ainsi, nous pourrions réagir à temps en cas d'attaques. Son idée a beaucoup plu à Boucle d'or, qui se montre de plus en plus angoissée.

Ce soir, j'ai aussi remarqué qu'il ne restait plus que du thon en conserve.

« Les filles, nous avons un problème, ai-je déclaré. Avec les provisions de Perle, il nous reste juste assez de nourriture pour survivre quelques jours. Nous devrons nous rationner si nous voulons tenir jusqu'au bout ! »

Les filles ont acquiescé sans dire un mot, mais je pouvais lire de l'inquiétude dans leurs yeux. Selon mes calculs, nous pourrons affronter la sorcière dès demain, et atteindre la plante (et le monstre de la forêt) d'ici quelques jours.

17 mai, à l'aube

Ce fut la nuit la plus mouvementée depuis le début de l'aventure.

Tout a commencé très tôt. Perle, dont c'était le tour de garde, m'a réveillé.

« Que se passe-t-il ? » me suis-je écrié en me redressant.

« Chut ! Je ne veux pas réveiller Boucle d'or tant que je ne sais pas ce qui rôde à l'extérieur ! J'ai peur qu'elle devienne hystérique ! »

« Qu'as-tu entendu ? » ai-je chuchoté.

« Je suis presque certaine d'avoir entendu des bruits de pas ! Écoute ! »

Des branches ont tout à coup craqué près de la tente. Perle et moi avons retenu notre souffle pour essayer d'identifier le visiteur.

« Je vais aller voir », ai-je murmuré.

« Non ! Ce n'est pas prudent ! S'il t'arrivait quelque chose… »

Elle s'est interrompue. Ses yeux se sont embués et sa lèvre inférieure s'est mise à trembler.

« Écoute-moi bien, Perle, lui ai-je dit en la prenant par les épaules. Je veux simplement voir à quel genre de créature nous avons affaire. Je te promets qu'il ne m'arrivera rien. Je ne courrai pas le risque de vous laisser seules ici ! C'est à cause de moi si vous êtes dans ce pétrin. C'est mon devoir de vous ramener saines et sauves à Livredecontes. »

« Tu ne m'as pas forcée à te suivre, Grincheux ! C'est moi qui ai insisté, mais je ne regrette rien. J'aime mieux être ici que de me trouver loin de toi. »

J'ai plongé mes yeux dans les siens, et j'ai senti des gargouillements dans mon estomac. Je me suis demandé si j'avais faim, mais j'ai réalisé que c'était plutôt de la nervosité. C'était le moment idéal pour déclarer mon amour à Perle, mais j'en étais incapable.

Elle m'a souri, comme pour m'encourager à continuer.

« Écoute, Perle… »

J'ai été interrompu par un craquement devant la tente. Nous avons sursauté, et Boucle d'or s'est réveillée du même coup.

« Quel est ce bruit ? » s'est-elle inquiétée.

« Je n'en sais rien, mais je vais aller voir », ai-je répondu.

« Oh !… Pendant que tu y es, peux-tu me rapporter des graines de tournesol ? J'ai vraiment un petit creux. Je sais qu'on doit se rationner, mais je ne crois pas que quelques graines feront la différence. De toute façon, je n'en veux que cinq ou six.

J'ai remarqué que j'entrais plus facilement dans mon jean depuis le début de l'aventure, et je tiens à maintenir le rythme. Comme ça, je reviendrai en ville avec un corps superbe, et Blanche-Neige sera verte de jalousie ! Avoir su que les randonnées en forêt donnaient de si bons résultats, je m'y serais mise avant ! »

Je l'ai regardée sans réagir. J'espérais que ce soit une blague.

Perle a lu dans mes pensées et m'a regardé en secouant la tête. Boucle d'or était sérieuse.

« Je vais voir ce que je peux faire », lui ai-je dit en soupirant. J'ai enfilé la lampe frontale et je suis sorti de la tente, le cœur battant la chamade et les mains moites. J'avais lu tant de légendes terrifiantes à propos de cette forêt que je m'attendais vraiment au pire.

J'ai fait le tour de la tente sur la pointe des pieds, mais je n'ai vu personne. Je m'apprêtais à retourner à l'intérieur lorsque j'ai entendu un craquement derrière moi.

« Pssst ! » a fait quelqu'un devant moi.

« Qui est là ? Que nous voulez-vous ? »

« Pssst ! Par ici ! » s'est écriée une petite voix rauque. J'ai éclairé le sol, et c'est là que j'ai aperçu le petit écureuil gris que nous avions croisé quelques jours plus tôt.

« C'est toi qui m'appelles ? » lui ai-je demandé.

« Évidemment, gros bêta ! Qui veux-tu que ce soit ? »

« Euh !... »

« Pourquoi fais-tu cette tête ? Tu n'as jamais vu d'écureuil parler auparavant ? »

« À vrai dire... Non ! Ça ne m'est jamais arrivé ! Que fais-tu ici ? Que puis-je faire pour toi ? »

« Sache que ce n'est pas parce que je suis petit que je ne suis pas capable de me débrouiller tout seul », m'a répondu l'écureuil d'un ton offensé.

« Désolé, ce n'est pas ce que je voulais dire... »

« Non, ça va. Je suis un peu susceptible ces jours-ci. Je meurs de faim. On s'entend que les noisettes se font rares par ici. La vérité, c'est que je suis perdu, et que je n'arrive plus à retrouver mon chemin. J'ai pensé à venir vous voir pour vous demander où se trouve la sortie... et si vous aviez quelque chose à manger. »

« Écoute, le rongeur, s'est interposé Boucle d'or en sortant de la tente, si quelqu'un a droit à une collation, c'est bien moi. »

« Du calme, Boucle d'or. Notre ami a besoin d'aide et nous pouvons bien lui donner un coup de main ! Comme tu dis, ce n'est pas quelques graines de tournesol qui feront la différence ! Comment t'appelles-tu, mon ami ? »

«Je m'appelle Tic. Je suis un rongeur du risque.»

«Enchanté de faire ta connaissance, Tic», ai-je répondu en lui tendant des graines de tournesol.

«Merci! Il a englouti son repas. Et vous, que faites-vous dans cette forêt? Il me semble que si j'avais le choix, je n'aurais pas choisi cet endroit pour mes vacances!»

«Nous sommes ici pour mettre la main sur une plante ayant le pouvoir de me rendre le sourire. Mais pour ce faire, nous devons affronter la sorcière aux douze doigts et le monstre de la forêt.»

«Tu parles de la plante *Bonheuratus*?» s'est renseigné le rongeur.

«Tu la connais? l'ai-je interrogé avec grand intérêt. Tu sais où elle se trouve?»

«Ouais! m'a-t-il dit en mastiquant. Et je connais aussi tes deux prochains adversaires. Je rôde dans le coin depuis quelques jours, alors j'ai fait la connaissance des créatures de la forêt. Je t'avertis tout de suite: ils n'entendent pas à rire! La sorcière, ça passe encore, mais le monstre, c'est tout un numéro! Il a failli m'écrabouiller quand j'ai voulu goûter à sa plante!»

« Tu voulais retrouver le sourire, toi aussi ? »

« Mais non, gros bêta ! Puisque je te dis que je suis affamé et que je n'ai rien à me mettre sous la dent. Je ne sais pas si tu as remarqué, mais ça ne pleut pas de verdure, par ici ! Alors quand j'ai vu la plante parmi les racines et les rochers, j'ai voulu en croquer une bouchée ! Mais cet énergumène m'a vite fait comprendre que j'allais le regretter ! »

« Écoute Tic… J'ai un marché à te proposer. Que dirais-tu de nous accompagner auprès de la sorcière et du monstre ? Comme tu connais le chemin et que tu les as déjà rencontrés, ça nous simplifierait vraiment la tâche. En échange, je te promets de te nourrir de façon raisonnable, et de te sortir sain et sauf de cette forêt ! »

L'écureuil a réfléchi quelques instants, puis il s'est avancé vers moi en tendant sa petite patte.

« Marché conclu ! m'a-t-il lancé. Mais tu diras à ton amie la blondinette de changer d'air. Je n'aime pas que les gens me dévisagent. Ça me gêne. »

« Je suis certain que Boucle d'or fera un effort pour t'inclure dans le groupe », ai-je répondu, en la regardant avec un air insistant.

« Ouais, ouais ! a-t-elle fini par dire sans conviction. Mais je ne veux pas que tu t'approches de moi. Tout le monde sait que les rats sont porteurs de maladies graves ! »

« Je ne suis pas un rat ! Je suis un écureuil. »

« C'est du pareil au même, a-t-elle rétorqué. Tu es un rat avec une jolie queue ! »

« Et toi, tu n'es qu'une tête à bouclettes ! »

« Bon, ça suffit ! me suis-je interposé. Nous n'avons pas de temps à perdre. Le soleil commence déjà à se lever, alors il vaut mieux se mettre en route. Nous avons une sorcière à affronter... »

17 mai, très tard

Cette fois-ci, c'est Perle et Tic qui nous ont permis de franchir une autre étape ! Notre nouvel ami l'écureuil nous a menés tout droit vers le sommet de la montagne, où se trouvait le refuge de la sorcière aux douze doigts. Cette dernière vivait dans un grand chalet en bois rond. La porte était verrouillée et la sorcière avait pris soin d'y apposer une affichette : « Vous n'êtes pas les bienvenus ».

« Ça promet », ai-je dit en poussant un long soupir.

« Un petit conseil, nous a averti Tic, soyez gentils avec elle. À première vue, elle n'est pas

très agréable, mais au fond, c'est une gentille vieille dame. Elle exigera sûrement que vous releviez un défi pour passer sur l'autre versant de la montagne, mais ce n'est pas sa volonté… Rappelez-vous que c'est le monstre qui est le grand patron, et qu'elle doit obéir à ses ordres. »

J'ai hoché la tête et j'ai respiré profondément avant de frapper à la porte.

« Qui est là ? » a demandé une voix de vieillarde.

« Hum !, je… Je m'appelle Grincheux. Je suis ici parce que j'ai besoin de franchir le sommet de la montagne pour me rendre jusqu'à la plante *Bonheuratus* », ai-je expliqué.

« Je suis trop fatiguée. Va-t'en ! »

« Allons, madame, a ajouté Perle. Nous ne sommes pas ici pour vous ennuyer. Nous voulons simplement rendre le sourire à notre ami ! Ouvrez-nous, s'il vous plaît ! »

« Non. »

« Vous avez une charmante maison », a essayé Boucle d'or.

« C'est gentil, mais j'ai d'autres chats à fouetter. Allez, ouste ! » s'est écriée la sorcière au travers de la porte.

J'étais sur le point de tourner les talons lorsque Tic m'a regardé d'un drôle d'air.

« Vous n'êtes vraiment pas doués pour ce genre de choses », nous a-t-il soufflé avant de se poster devant la porte. Il s'est alors dressé sur ses deux pattes arrière et il a baissé les oreilles pour se donner un air adorable et inoffensif.

« Madame la sorcière ? C'est moi, Tic, a-t-il fait d'une toute petite voix. Je suis avec eux. Croyez-moi, ils ne vous veulent aucun mal. Ils sont peut-être un peu rustres, mais ils ne sont pas méchants. »

« Pourquoi dis-tu que je ressemble à un lustre ? » s'est écrié Boucle d'or.

« Chut ! » ai-je soufflé.

La vieille femme a finalement ouvert la porte. Elle était petite et maigre, et elle avait relevé ses longs cheveux gris en chignon sur le dessus de sa tête. Ses yeux gris inspiraient la confiance. Tic avait raison : elle n'avait pas l'air méchante.

«Venez», nous a-t-elle dit en brandissant le sixième doigt de sa main droite.

Nous avons pénétré dans sa maison, qui était modeste, mais accueillante. Une fois rassuré, je me suis empressé de lui raconter mon histoire pour qu'elle comprenne l'importance de ma quête.

«Je vois, a-t-elle dit au bout d'un moment. La vérité, c'est que vous me paraissez bien sympathiques. Si je le pouvais, je vous laisserais passer sans hésiter, mais le monstre me surveille de près et je ne peux pas me permettre de vous faire des passe-droits. Vous devrez donc surmonter une épreuve pour atteindre la prochaine étape de votre aventure.»

«Quel genre d'épreuve ? a demandé Boucle d'or. J'espère que vous ne voulez pas que je me roule dans la boue ! Vous savez, je n'ai pas pris de bain chaud depuis des jours et mes cheveux sont un désastre ! Ça, c'est sans compter que ma manucure est ruinée et que j'ai des ampoules aux pieds. Je ne

sais pas si je peux endurer tout ce manège encore bien longtemps ! »

La sorcière s'est approchée de Boucle d'or.

« Tu me rappelles ce que j'étais dans ma jeunesse. J'ai déjà été vaniteuse comme toi, ma chérie. Et tu sais ce que le monstre m'a infligé en guise de punition pour que je change d'attitude ? Un sixième doigt à chaque main ! Alors, je t'en prie, arrête de te plaindre. »

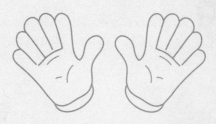

Boucle d'or est devenue livide. Elle s'est assise dans un coin et s'est tue immédiatement. Je ne l'avais jamais vue dans cet état. Même si le risque de passer encore quelques jours en forêt lui donnait la nausée, l'idée d'avoir douze doigts lui semblait insoutenable.

« Ne vous en faites pas, a enchaîné la sorcière. Je n'exigerai aucun effort physique. C'est votre cerveau qui devra travailler ! Je vous laisserai passer si

vous réussissez à résoudre une énigme en moins de cinq minutes. »

J'avais les mains moites. Je ne suis pas idiot, mais je n'ai jamais été doué pour les énigmes et les casse-têtes. J'espérais donc que les autres me viennent en aide.

« Voici mon énigme : avec les lettres de mon nom, on peut écrire le nom de ma maison, dit la sorcière. Vous avez cinq minutes pour trouver la réponse. »

J'ai rejoint Boucle d'or, Perle et Tic pour un petit conciliabule afin de trouver la solution.

« Je crois que je sais ! s'est exclamée Boucle d'or. La réponse est SINOMA ! »

« Hum !, je doute que ce soit ça, a répondu Perle. D'ailleurs, je ne sais même pas si c'est vraiment un prénom. D'où tu sors cette idée ? »

« C'est simple : j'ai inversé les lettres du mot "maison" ! Alors ? Vous croyez que c'est la réponse ? »

« Bien sûr que non ! Sinoma, ce n'est pas un nom », s'est exclamé Tic.

« Et Tic, tu crois que ce n'est pas débile comme nom ? », a rétorqué Boucle d'or.

« Ça suffit ! leur ai-je dit. Boucle d'or, ton idée est… hum !… originale, mais je ne crois pas que ce soit la réponse que la sorcière recherche ! Il faut plutôt trouver le nom d'une personne ou d'un animal dont les lettres forment aussi le nom de sa maison. »

Boucle d'or m'a regardé avec un air ahuri, comme si je venais de parler chinois.

« Il ne reste plus que trois minutes », a soufflé la sorcière derrière nous.

Nous avons donc commencé à lancer des noms au hasard en espérant trouver la bonne réponse.

« Indien ! » a lancé Tic.

« Souris ! » ai-je proposé.

« Maison ? » a répété Boucle d'or sans comprendre le but du jeu.

Les précieuses secondes s'écoulaient sans que nous mettions le doigt sur la bonne réponse.

« Le délai est terminé, mes amis, a soudain déclaré la sorcière. C'est votre dernière chance de tenter une réponse. »

« Je… Je crois que je sais », a fait Perle, la voix tremblotante.

« C'est votre dernière chance », a répété la sorcière.

Nous nous sommes tous tournés vers Perle. J'avais le cœur qui battait la chamade. J'espérais sincèrement qu'elle ait réussi à trouver la réponse à l'énigme. Sinon, tout était perdu et il était inutile de continuer. Mon destin reposait entre ses mains.

« Je… Je crois que la réponse est… un chien », a-t-elle dit d'une voix hésitante.

Je me suis tourné vers la sorcière sans même prendre le temps de réfléchir à la réponse que Perle venait de proposer.

« Eh bien !, mes chers amis, je dois vous annoncer que… C'EST LA BONNE RÉPONSE ! s'est-elle écriée. Je cherchais bien le mot "chien", qui donne "niche" lorsqu'on inverse les lettres. »

J'ai aussitôt bondi dans les airs pour serrer Perle très fort contre moi. J'étais fou de joie. J'ai alors senti que la sorcière me dévisageait.

« C'est très étrange de te voir réagir ainsi sans esquisser de sourire. Je te souhaite de mettre la main sur cette plante, mon ami. Tu mérites le bonheur ! »

La sorcière nous a ensuite invités à déjeuner avec elle, offre que nous avons acceptée avec joie.

Avant de partir, elle nous a aussi offert un dernier conseil.

« Je connais bien le monstre. C'est mon patron depuis déjà dix ans. À l'époque, c'était un homme assez sensible, mais depuis quelques années, il a lui aussi perdu le sourire et il est devenu plutôt intransigeant avec les étrangers. Même s'il vous paraît froid et intraitable à première vue, je connais son point faible : il adore la musique. »

« Merci beaucoup pour le repas et pour ce coup de pouce. Vous avez été vraiment chouette avec nous. J'ai été honoré de faire votre connaissance, lui ai-je répondu. Si jamais je repasse par ici un jour, je promets de vous sourire à pleines dents pour vous le prouver ! »

Nous lui avons fait nos adieux, puis nous avons regagné le sentier pour atteindre l'autre versant de la montagne avant le coucher du soleil.

Nous venons à peine d'installer la tente, et les filles et Tic dorment déjà à poings fermés. Comme je n'arrivais pas à fermer l'œil, je leur ai proposé de monter la garde pour le début de la nuit.

La vérité, c'est qu'il n'y a pas que la rencontre avec le monstre qui occupe mes pensées ; il y a aussi Perle. J'aimerais tant avoir le courage de lui dire ce que je ressens, ou du moins l'inviter à sortir, une fois que nous quitterons cet endroit.

19 mai, heure du midi

Depuis deux jours, nous marchons à travers les marécages. Heureusement que mes chaussures sont imperméables et que Perle a pensé à enfiler des bottes de pluie. Mais les ballerines de Boucle d'or, elles, ont vite été imbibées d'eau, ce qui la rend encore plus insupportable que d'habitude.

La bonne nouvelle, c'est que si tout va bien, nous pourrons atteindre la maison du monstre dès demain ! La mauvaise, c'est que nous commençons sérieusement à manquer de nourriture ! Le retour devrait se faire plus rapidement, mais si on continue à ce rythme, nous devrons nous nourrir de racines et de feuilles ! Beurk !

19 mai, à la tombée de la nuit

Nous avons finalement installé la tente à deux kilomètres à peine de la maison du monstre. Pour la première fois depuis notre arrivée dans la Forêt hantée, la soirée est plutôt agréable. Le ciel est dégagé et la brise printanière nous donne envie de parler de tout et de rien, sans tenir compte des cris et des bruits étranges qui retentissent de toutes parts.

J'ai profité de ce rare instant de détente pour m'asseoir à côté de Perle, qui s'est installée devant le feu que j'ai allumé. Boucle d'or était en train de parler des bienfaits de sa crème hydratante à Tic. J'ai donc eu le champ libre pour discuter avec elle, et même tenter de lui avouer mes sentiments.

« Comment te sens-tu ? » lui ai-je demandé.

« Pas mal. J'en ai vu de toutes les couleurs au cours des derniers jours, mais je ne regrette rien. Cette expérience m'a vraiment transformée. Et toi ? »

« Je suis un peu nerveux pour demain. Je ne sais pas à quoi m'attendre, mais au point où nous en sommes, ça ne sert à rien d'imaginer le pire… »

« Grincheux, m'a-t-elle dit en se tournant vers moi et en plongeant son regard dans le mien, je veux te remercier de m'avoir fait confiance. Je sais que parfois, tu te sens mal de nous avoir entraînées là-dedans ma cousine et moi, mais je tiens à ce que tu saches que c'est un honneur pour moi de t'aider dans ta quête. Même Boucle d'or a appris des choses au cours de cette aventure ! »

« Je l'espère ! Moi aussi, je tiens à te remercier d'avoir insisté pour m'accompagner. Quoi qu'il arrive demain, je ne me serais jamais rendu jusqu'ici sans ton aide. »

« C'était tout naturel, a-t-elle répondu. Tu sais… J'ai ressenti quelque chose lors de notre première rencontre… C'est comme si le destin m'avait menée vers toi… »

«Je vois ce que tu veux dire, ai-je ren-chéri. Quand je t'ai vue la première fois près du ruisseau, j'ai ressenti quelque chose d'extraordinaire... »

«Ah, oui? Quoi donc? » m'a-t-elle demandé en prenant mes mains et en approchant son visage du mien.

«J'ai senti que ma vie ne serait plus jamais la même. »

Le regard espiègle de Perle s'est adouci. C'était le moment ou jamais de l'embrasser. Même si j'avais peur de sa réaction, je ne devais pas laisser cette chance me filer entre les doigts.

J'ai aussitôt posé mes lèvres sur les siennes. J'ai senti des feux d'artifice à l'intérieur de moi. C'était l'un des plus beaux moments de ma vie.

«Eh bien!, s'est exclamé Tic en grimpant sur mes genoux, on peut dire que vous ne perdez pas de temps! Dis-moi, Boucle d'or... tu n'aurais pas envie de m'embrasser, toi aussi? »

«Rêve toujours! » a-t-elle jeté en replaçant ses jolis cheveux bouclés derrière son oreille.

Je ne sais pas quel est son secret, mais sa chevelure est restée impeccable tout au long de l'aventure.

Perle a éclaté de rire, et j'ai senti quelque chose en moi. C'était une sensation si intense de bonheur que je croyais que tout était possible. J'en ai profité pour essayer de sourire, mais sans succès.

« Je vois encore la lueur dans tes yeux, m'a-t-elle dit. Je sais que tu as envie de sourire ! »

« Si tu savais à quel point ! Même si mes lèvres ne sont pas capables de le montrer, je déborde de joie en ce moment ! »

Notre moment romantique a alors été interrompu par une forte secousse qui a fait trembler le sol.

Tic s'est jeté dans les bras de Boucle d'or, qui s'est aussitôt réfugiée derrière moi, tandis que Perle me serrait très fort contre elle.

« Que se passe-t-il ? s'est écriée Boucle d'or. Est-ce un tremblement de terre ? »

« Je n'en ai aucune idée », ai-je répondu d'une voix tremblotante.

Tic est alors venu s'installer sur mon épaule.

« Je crois que je sais, a-t-il dit. Il y a un truc que je ne vous ai toujours pas dit à propos du monstre… »

« Quoi donc ? »

« En fait, il est plutôt… hum !… imposant. »

« Imposant comme Henri le bûcheron ? Ou imposant comme un ogre ? » s'est inquiétée Boucle d'or.

« Je… Je dirais plutôt… imposant comme un monstre géant. »

« Crois-tu que ce sont ses pas qui font trembler le sol de cette façon ? » a chuchoté Perle.

« En fait… Je suis sûr que oui. La première fois que j'ai fait sa rencontre, c'était par hasard. Je me baladais dans les environs à la recherche de petits fruits quand soudain, une secousse m'a fait tomber à la renverse. J'ai cru que c'était un tremblement de terre et j'ai vite cherché un refuge. C'est là que j'ai aperçu la plante que tu recherches. Elle resplendissait et ses grosses feuilles violettes donnaient envie d'y mordre à pleines dents ! Je n'ai pas l'habitude de me laisser tenter par les plantes, mais je n'ai pas pu y résister ! Je me suis précipité vers elle, et c'est là que j'ai frappé un mur. »

« Un mur ? a demandé Boucle d'or. Comment est-ce possible de frapper un mur dans la forêt ? »

« C'est une façon de parler, blondinette. Disons que c'est plutôt une énorme patte qui est apparue devant moi et m'a bloqué le chemin. J'ai levé les yeux et j'ai aperçu le monstre. Il n'avait pas l'air trop content de me voir. Il m'a clairement fait savoir que si je mettais la patte sur sa plante, j'allais le regretter. Je n'ai pas insisté. »

La secousse et le récit de Tic nous ont aussitôt enlevé le goût de célébrer. Boucle d'or et Perle sont allées se coucher, et Tic a décidé de grimper dans un arbre pour monter la garde. Quant à moi, je n'arrive toujours pas à m'endormir, car j'appréhende énormément la journée de demain. Si ce monstre fait du mal à mes amis, ou encore pire, s'il me sépare de Perle, je ne me le pardonnerai jamais.

25 mai

Tant de choses se sont déroulées en quelques jours, que je ne sais pas par où commencer pour les raconter !

J'avais finalement réussi à m'endormir, et ce sont les sifflements de Tic qui m'ont sorti de mon sommeil au petit matin.

« Tu es enfin levé, m'a-t-il dit. Je crois qu'il est temps d'affronter ce monstre ! »

Nous avons réveillé les filles avant de plier bagages, puis nous nous sommes dirigés vers le repaire du monstre. Il s'agissait en fait d'une immense grotte située à l'extrémité d'une clairière. Lorsque nous sommes arrivés, le monstre semblait absent.

« Il doit sûrement dormir dans sa grotte », ai-je soufflé à mes amis.

« Ou alors, il est allé prendre un bain, a suggéré Boucle d'or. Je parie qu'il existe des tonnes de sources chaudes naturelles dans le coin. Ce serait génial de les visiter, non ? »

« Peut-être plus tard », me suis-je contenté de répondre.

« La plante se trouve juste à côté de la grotte », a dit Tic.

Nous nous sommes approchés doucement de la caverne.

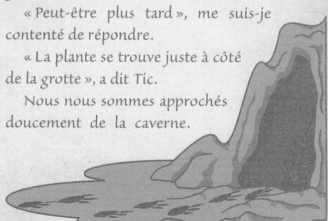

J'avais bon espoir de m'emparer de la plante et d'en extraire la sève sans me faire surprendre par l'ennemi.

La plante *Bonheuratus* était aussi splendide que Tic l'avait décrite. Je pouvais voir la rosée sur ses feuilles, ainsi que sa tige gonflée qui regorgeait de la sève capable de me rendre le sourire.

J'ai fait signe à mes amis de se cacher et de m'attendre, puis je me suis avancé vers la plante. Je m'apprêtais à la cueillir lorsqu'une autre secousse s'est fait sentir. Le monstre était réveillé ! Je devais faire vite ! J'ai coupé la plante et j'ai couru vers mes amis. Des pas lourds résonnaient derrière moi, mais je refusais de me retourner. J'étais si près du but !

C'est alors que j'ai senti de gros doigts m'empoigner par le chandail et me soulever dans les airs.

Le monstre me tenait entre ses doigts et semblait prêt à m'avaler. Je battais des pieds et des bras de toutes mes forces pour essayer de me libérer, mais je me rendais bien compte que ça ne servait à rien. Le monstre avait gagné.

Mes copains sont alors sortis de leur cachette et se sont mis à hurler.

« Je vous en prie, monsieur Monstre, ne faites pas de mal à mon ami ! » s'est écrié Tic.

« Laissez-le tranquille ! Je vous en supplie ! » a ajouté Perle.

« Si vous le laissez partir, je vous promets une pédicure dont vous me donnerez des nouvelles ! » s'est exclamée Boucle d'or.

« Ça suffit ! s'est écrié le monstre. Ce nain a arraché ma plante, et il est hors de question que je le laisse partir sans le punir ! »

« Laissez-moi vous expliquer, lui ai-je dit. Je ne vous veux pas de mal, et je ne voulais pas non plus ruiner votre plante. Vous devez savoir que sa tige contient une sève magique capable de redonner le sourire à ceux qui l'ont perdu ! Je suis venu ici pour remédier à mon problème ! J'en ai assez qu'on me prenne pour un nain grognon ! J'ai envie de rire, moi aussi, et j'ai envie de sourire lorsque la femme que j'aime m'embrasse ! »

Perle s'est alors approchée de moi, l'air ému.

« Est-ce que… est-ce que ça veut dire que tu m'aimes ? »

« Oui, Perle ! Je suis amoureux de toi depuis le premier instant où je t'ai vue ! »

« Je t'aime aussi, Grincheux ! » s'est-elle écriée en pleurant de joie.

C'est alors que quelque chose d'incroyable s'est produit. Sans réfléchir, je me suis mis à sourire à pleines dents.

« Grincheux ! Ça y est ! Tu souris ! » s'est écrié Tic.

« Oui ! Tu es guéri, mon amour ! » a ajouté Perle.

« Hourra ! s'est exclamée Boucle d'or. C'est génial ! J'ai plusieurs échantillons de dentifrice pour blanchir les dents. Tu vas adorer ! »

« Hé ! Oh ! Pas si vite ! s'est interposé le monstre. C'est très touchant, cette histoire de sourire et d'amour, mais tu as arraché ma plante, et tu ne t'en sortiras pas comme ça ! »

C'est alors que je me suis souvenu des conseils de la sorcière. Elle nous avait mentionné que le monstre avait un faible pour la musique.

« On pioche pic pac !, pic pac !, pic pac !, dans la mine, le jour entier. Piocher, pic pac !, pic pac !, pic pac ! Notre jeu préféré… », ai-je fredonné d'une voix hésitante, en faisant de grands yeux à mes amis pour qu'ils se joignent à moi.

« Pas bien malins d'être riches enfin. Si l'on pioche, pic pac !, dans la terre ou dans la roche, dans la mine, dans la mine… Dans la mine, dans la mine… Où un monde de diamants brille ! On pioche, pic pac !, pic pac !, pic pac !, du matin jusqu'au soir. On pioche, pic pac !, pic pac !, pic pac !, tout ce que l'on peut voir. On pioche les diamants par monceaux, et les sacs de rubis par quintaux, pour nous sans valeur sont ces trésors, on pioche, pic pac !, pic pac ! Heigh-ho… Heigh-ho… On rentre du boulot ! Heigh-ho, Heigh-ho, Heigh-ho… Heigh-ho, Heigh-ho, on rentre du boulot ![2] » avons-nous chanté en chœur.

Je sentais que le monstre commençait à s'attendrir.

« Siffler en travaillant, c'est un bon stimulant, qui vous rend le cœur plus vaillant ! Siffler un air joyeux, vous vous sentirez mieux, et vous serez bien plus courageux ! Pour chasser les soucis, les tracas et les ennuis, et voir tout sous un jour brillant, suivez ce remède excellent ! Siffler en travaillant, pour vivre heureux, toujours content, siffler en travaillant ![3] » avons-nous enchaîné pour essayer de l'amadouer davantage.

_____

2. Musique : Frank Churchill, paroles : Larry Morey, traduction française : Francis Salabert
3. Musique : *idem*.

Tout à coup, d'autres voix se sont jointes à nous. Je me suis retourné, surpris, et j'ai aperçu Prof et Joyeux qui approchaient à dos de cheval. Derrière eux, Beau Prince galopait avec Lutin maléfique et la sorcière aux douze doigts.

Le monstre a fini par se mettre à danser, puis il m'a enfin déposé par terre.

Prof et Joyeux ont couru vers moi pour s'assurer que tout allait bien.

«Que faites-vous ici?» ai-je demandé tout étonné.

«Nous nous doutions que quelque chose ne tournait pas rond avec ton histoire, a expliqué Prof. Comme nous étions morts d'inquiétude, nous sommes allés voir Rose pour savoir si elle était au courant de quelque chose. C'est alors qu'elle nous a parlé de la plante magique qui avait le pouvoir de rendre le sourire. Nous sommes aussitôt allés chercher de l'aide auprès de Beau Prince et nous sommes partis à votre recherche. Nous avons fait la rencontre du lutin en cours de route. Il nous a laissés passer à condition de le mener jusqu'à la jolie blonde bouclée. Quand nous sommes arrivés chez la sorcière, celle-ci a

accepté de se joindre à nous et de nous aider à vous délivrer du monstre!»

«Comme je suis content de vous voir!» me suis-je exclamé en riant.

«Mais… Mais Grincheux! Ça fonctionne! Tu souris! C'est un miracle!»

«À vrai dire, leur ai-je expliqué, je n'ai pas eu à boire la sève! C'est grâce à Perle que j'ai retrouvé le sourire! Je crois que Rose avait raison! C'est l'amour qui a soulagé tous mes problèmes!»

Perle m'a rejoint et m'a embrassé sans hésiter. Et mes amis se sont mis à applaudir.

Avant de monter à cheval et de retourner à Livredecontes, je me suis approché du monstre, qui semblait plutôt triste de nous voir partir. Je lui ai tendu la plante en souriant.

« Je crois que cette plante pourrait t'être utile », lui ai-je dit.

Ce dernier m'a regardé d'un air entendu, puis il a aspiré la sève magique.

Nous avons retenu notre souffle, et le monstre a éclaté de rire !

« Ça alors ! Ça fonctionne ! Dire que ça fait des années que j'ai perdu le sourire, et que la solution se trouvait si près de moi ! Merci, Grincheux ! Tu es mon héros ! » m'a-t-il dit en me serrant la main.

J'ai offert à Tic de rentrer avec nous, et il a tout de suite accepté. Après tout, Livredecontes regorge de noisettes !

J'ai ensuite fait mes adieux au lutin et à la sorcière, et grâce aux chevaux, nous avons pu regagner Livredecontes en un rien de temps ! J'étais si heureux. Non seulement j'avais retrouvé le sourire, mais j'avais aussi trouvé l'amour !

ÉPILOGUE

Trois mois plus tard

Aujourd'hui, j'ai apporté un énorme bouquet de fleurs à Rose. Même si j'ai retrouvé le sourire grâce à Perle, c'est quand même elle qui m'a ouvert les yeux et qui m'a permis de connaître l'amour.

Les choses vont bon train depuis notre retour. J'ai repris le travail et, chaque matin, je me joins à mes confrères pour siffler en travaillant. Je ne veux plus perdre une seule minute à maugréer et faire la tête !

Tic s'est installé avec nous dans la chaumière et il aide souvent la mère Michel à préparer de délicieux petits plats.

Perle et moi filons toujours le parfait bonheur. Elle a déménagé en ville dans un nouveau logis avec Boucle d'or, qui s'est évidemment occupée de la décoration. Elles se sont beaucoup rapprochées depuis notre aventure. En vérité, je crois qu'elles se complètent bien !

Perle a aussi réussi à trouver du travail. Elle se prépare à enseigner, dès l'année prochaine, à l'école primaire de Livresdecontes.

Quant à Boucle d'or, elle a publié un super article à notre retour pour relater tout ce que nous avions vécu. Son témoignage intitulé *Guéri par l'amour* était accompagné de ma photo où je souriais à pleines dents en regardant Perle.

Boucle d'or m'a beaucoup aidé à reprendre confiance en moi et à faire comprendre aux habitants de Livredecontes que je suis un être sensible capable de rire et de profiter de la vie. Il faut dire que je ne suis pas le seul à vivre une histoire d'amour…

La semaine dernière, Perle m'a raconté que Lutin maléfique était venu rendre visite à Boucle d'or, et que cette dernière semblait aux anges !

Comme quoi l'amour peut faire des miracles et redonner le sourire aux plus grincheux de l'univers !

fIN

Questions de lecture pour l'enfant

a. Trouve trois références au conte original de Blanche-Neige et les sept nains dans cette histoire.

b. Qu'est-ce qui redonne finalement le sourire à Grincheux ?

c. Nomme les trois épreuves que Grincheux et ses amis doivent traverser pour atteindre la plante.

d. Nomme quatre choses que Grincheux met dans son sac avant de partir à l'aventure.

e. Nomme tous les personnages qui rentrent au village de Livredecontes en compagnie de Grincheux à la fin de l'histoire.

Activités entre amis

a. Inventez une chanson rigolote pour redonner le sourire à Grincheux.

b. Nommez trois choses qui vous font sourire.

c. Faites chacun un portrait du monstre de la forêt, puis comparez-les. Lequel est le plus terrifiant ? Lequel est le plus drôle ?

d. Essayez de raconter l'histoire en interprétant chacun un rôle. Par exemple, un ami peut interpréter le rôle de Grincheux, tandis qu'un autre peut jouer le rôle de Perle et un autre, le rôle de Boucle d'or !

e. Réinventez l'histoire en trouvant chacun une façon de redonner le sourire à Grincheux ! Vous pouvez même faire un match d'improvisation !

Activités pour les professeurs ou les parents

a. Discutez de l'histoire avec les enfants. À la fin, c'est l'amour et l'amitié qui permettent à Grincheux de retrouver le sourire. Ont-ils compris la même chose ? Quelle est la morale, selon eux ?

b. Demandez aux jeunes s'il leur est déjà arrivé de se sentir différents des autres. Comment se sont-ils sentis ? Comment s'y sont-ils pris pour se faire accepter des autres ? Expliquez aux jeunes qu'il n'y a rien de mal à être différent.

c. Demandez aux jeunes de trouver un adjectif pour décrire chacun des personnages. Par exemple, Grincheux pourrait être « persévérant ».

d. Demandez aux enfants auquel des Sept Nains ils s'identifient le plus. Pour quelles raisons ?

e. Demandez aux enfants quel est leur personnage préféré. Qu'aime-t-il de ce personnage ? Demandez-leur ensuite de dessiner chacun des personnages, ou alors de dessiner les Sept Nains.

Profil du nain parfait

Personnage : Grincheux

Âge : 82 ans (C'est très très jeune pour un nain.)

Statut actuel : il a retrouvé le sourire grâce à ses amis, à Rose, sa thérapeute, et à Perle, son amoureuse.

Champs d'intérêt : Travailler dans un entre-pôt de charbon, jouer aux jeux vidéo et regarder l'horizon en compagnie de Perle.

Chanson préférée : Siffler en travaillant.

Degré de méchanceté : plutôt nul. Plutôt considéré comme un incompris.

Mets préféré : Tous les plats de la mère Michel, sauf ceux qui contiennent des pommes.

Ennemis jurés : Le monstre de la forêt, qui s'est finalement avéré plutôt sympa ; Beau Prince, parce qu'il est parti avec Blanche-Neige et le monstre dans Mario Bros.

Complices : Boucle d'Or, Perle, Tic et les autres nains.

Les fameuses brioches de Boucle d'or
(indispensables au petit-déjeuner)

Voici une recette de viennoiserie qui saura te mettre l'eau à la bouche. Bientôt, tout comme Boucle d'or, tu ne pourras plus t'en passer !

Ingrédients

- 1 paquet (235 g) de pâte à croissants
- 250 ml de crème entière (ou de crème de table)
- 120 g de cassonade

N'OUBLIE PAS DE DEMANDER DE L'AIDE À UN ADULTE LORSQUE TU UTILISES LE FOUR !

Préparation

1. Préchauffer le four à 175 °C (350 °F).
2. Sortir la pâte à croissants de l'emballage sans la dérouler.
3. Couper la pâte en 13 rondelles de la même taille.

4. Déposer les rondelles de pâte dans un plat allant au four.

5. Recouvrir uniformément les rondelles de pâte avec de la cassonade et arroser avec de la crème.

6. Couvrrir le plat avec du papier d'aluminium et le faire cuire au four de 35 à 40 minutes, jusqu'à ce que les brioches soient dorées. Servir avec un peu de crème de table.

Les brioches font aussi un excellent dessert !

Recette de smoothie onctueux aux fraises

(peut aussi se faire avec des fraises des bois)

Tu raffoleras de ce smoothie aux fraises autant que Grincheux !

Ingrédients

- 275 g de fraises congelées
- 150 g de morceaux d'ananas congelés
- 125 ml de lait
- 250 ml de yogourt à la vanille (ou nature)
- 2 c. à soupe de miel
- 230 g de glace concassée

N'OUBLIE PAS DE DEMANDER DE L'AIDE À UN ADULTE LORSQUE TU UTILISES LE MÉLANGEUR.

Préparation

1. Déposer tous les ingrédients dans un mélangeur et brasser le tout jusqu'à ce que la préparation soit lisse et bien onctueuse !

2. Servir le mélange dans de grands verres avec une paille.

Cette boisson fait un malheur dans les brunchs d'anniversaire !

Tarte aux pommes pas-pour-Grincheux

Voici une recette toute simple de tarte aux pommes! Offres-en à tes amis, mais surtout pas à Grincheux, car il est allergique!

Ingrédients

- 1 croûte à tarte double non cuite de 23 cm
- 3 pommes pelées et coupées en tranches minces
- 50 g de sucre
- 35 g de cassonade
- 1 c. à soupe de fécule de maïs
- 1/2 c. à thé de cannelle
- 1/2 c. à thé de muscade
- 1 c. à thé de jus de citron
- 1 œuf battu

N'OUBLIE PAS DE DEMANDER DE L'AIDE À UN ADULTE LORSQUE TU UTILISES LE FOUR.

Préparation

1. Préchauffer le four à 200 °C (400° F).
2. Mélanger les morceaux de pommes, le

sucre, la cassonade, la fécule de maïs, la cannelle, la muscade et le jus de citron dans un grand bol.

3. Verser le mélange dans la base de la croûte à tarte. Découper l'autre moitié de la pâte en languettes et les utiliser pour recouvrir le dessus de la tarte en formant un quadrillé. Ensuite, badigeonner les languettes de pâte avec l'œuf battu, à l'aide d'un petit pinceau.

4. Mettre la tarte au four pendant au moins 30 minutes, jusqu'à ce que les pommes soient tendres!

Tu peux concocter cette recette alléchante avec des pommes fraîchement cueillies, si tu en as la chance!

Bonheuratus

tc • IMPRIMERIES
TRANSCONTINENTAL

Imprimé au Canada